Sgint

Bethan
Marlow

Cynhyrchwyd y ddrama hon gan Sherman Cymru a Theatr Genedlaethol Cymru mewn cydweithrediad â Galeri, Caernarfon a'i pherfformio gyntaf yn Sherman Cymru ar 7 Chwefror 2012.

Mae Bethan Marlow yn arddel ei hawl foesol i gael ei hadnabod fel awdur y gwaith hwn.

Roedd y testun yn gywir wrth iddo fynd i'r wasg ond mae'n bosibl ei fod wedi newid yn ystod y cyfnod ymarfer.

Llun y Clawr: Chaira Tocci
Dylunio: departuresdesign.com
Cysodwyd gan: Eira Fenn
Argraffwyd yng Nghymru gan Wasg Cambrian, Aberystwyth.
Cyhoeddir y llyfr hwn gyda chefnogaeth ariannol Cyngor Llyfrau Cymru.

ISBN: 978-1-907707-05-6

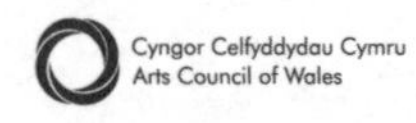

Awdur:
Bethan Marlow

Cast:
Dafydd Emyr
Robin Griffith
Sara Harris-Davies
Morfudd Hughes
Nerys Lewis
Christine Pritchard
Rhys Richards
Emyr Roberts
Manon Wilkinson

Tîm Cynhyrchu:
Cyfarwyddwr
Arwel Gruffydd
Cynllunydd
Cai Dyfan
Cynllunydd Goleuo
Elanor Higgins
Cynllunydd Sain
Osian Gwynedd
Cyfarwyddwr Corfforol
Cai Tomos
Coreograffydd
Suzie Firth
Rheolwr Cynhyrchu
Ryan Evans
Rheolwr Llwyfan
Craig Pugh
Dirprwy Reolwr Llwyfan
Angharad Mair Jones
Rheolwr Llwyfan
Cynorthwyol
Ben Marshall
Ail Oleuo ar Daith
Jon Turtle
Technegydd Sain
Jac Gough
Gwisgoedd
Deryn Tudor

Diolchiadau:
Pawb â gyfranodd at y sgript – am eu 'geiriau'; English Touring Opera; Flints Re-furb.

Bethan Marlow
– Awdur

'Ti 'di meddwl sgwennu drama gair am air?' Dyna sud gychwynnodd hyn i gyd. Arwel Gruffydd a Siân Summers yn gofyn y cwestiwn yma ac yn gofyn i mi fynd i feddwl am syniada' yn ymwneud hefo Caernarfon a pres. O'dd 'na ddau beth yn mynd drw' mhen i - 'Caernarfon? Iawn, grêt, fedra'i neud rwbath yn dre. Pres? O God, dwi'n mynd i edrach yn stiwpid achos dwi'n gwbod dim byd am wleidyddiaeth na economi Cymru na unrhyw wlad arall!' A dyna sud ddo'th y syniad am *Sgint*.

O'n i ishio mynd i ddarganfod sud o'dd y 'pyramid pres' 'ma'n gweithio ac ishio casglu lleisia' pobol o wahanol garfannau sy'n creu'r pyramid yma - y gwleidydd, y fam sengl, y gweithwyr proffesiynol ac arbenigwyr ariannol. Eshi ati i gasglu nifer o leisia (dros 30 i gyd) ac yna'i roi o lawr air am air. Gair. Am. Air. Mi gymrodd hi hanner awr i mi deipio munud a hanner ac mi o'dd gin i'n agos at 50 awr o gyfweliada'!

Cafodd drafft 3 ei darllen yn y 'Sdeddfod ac o'dd hynny o fudd mawr i mi achos o'dd ca'l clwad ymateb y gynulleidfa cyn mynd ati i sgwennu drafft arall yn brilliant. Ac yna, rhwng Awst a Ionawr o'n i'n sgwennu drafft ar ôl drafft (hefo arweiniad a chymorth Arwel a Siân) gan dorri, cyfosod a gwau y cyfweliada' at ei gilydd i greu un darn theatrig.

O'dd wythnos gynta'r ymarferion yn gyfle unwaith eto i glywed *Sgint* a thorri ac ailosod fymryn mwy. Mi oedd yna 17 o gymeriada' yn y drafft yna a mi gesh i warad o un ar y funud ola'!

Dwi bellach wedi gorffen y drafft terfynol ac wedi anfon cyfieithiad Saesneg ar gyfer yr uwchdeitla'.

Does dim amdani rwan ond aros am y noson agoriadol.

Ein nod yw cynhyrchu a chyflwyno theatr uchelgeisiol, dyfeisgar a chofiadwy ar gyfer ein cynulleidfaoedd, ac i greu cysylltiadau cryf, ymatebol a chyfoethog gyda'n cymunedau. Rydyn ni'n cynhyrchu gwaith Saesneg a Chymraeg ac yn teithio'n helaeth o amgylch Cymru a'r DU. Am fwy o wybodaeth am weithgareddau Sherman Cymru ewch i - shermancymru.co.uk

Calon
Cynllun Cefnogwyr Sherman Cymru
Bydd ymuno â Calon yn dod â chi at graidd Sherman Cymru ei hun, gan y byddwch yn cyfrannu at yr hyn sy'n gwbl hanfodol i alluogi'r cwmni i barhau i greu gwaith artistig rhagorol i bawb.

Am gyfraniad blynyddol o £30 (£50 i gwpwl), byddwch yn gwneud gwahaniaeth mawr i Sherman Cymru, ar gyfer heddiw ac yfory.

Am ragor o wybodaeth, cysylltwch â:
Emma Goad
Pennaeth Datblygu
emma.goad@shermancymru.co.uk
029 2064 6975

Sherman Cymru Staff:

Pennaeth Cynhyrchu a Gweithrediadau
Nick Allsop
Pennaeth Marchnata a Chysylltiadau Cwsmeriaid
Julia Barry
Goruchwyliwr Caffi Bar
Claire Batten
Cynorthwy-ydd Llenyddol
Sarah Bickerton
Dirprwy Reolwr Llwyfan Technegol
Stephen Blendell
Cyswllt Artistig
Elen Bowman
Rheolwr Cysylltiadau Cyhoeddus ac Ymgyrchu
Suzanne Carter
Derbynydd a Chynorthwy-ydd Tocynnau
Trystan Davies
Pennaeth Datblygu
Emma Goad
Derbynydd a Chynorthwy-ydd Tocynnau
Elgan Jones
Rheolwr Ty
Heather Jones
Rheolwr Cyffredinol
Margaret Jones
Derbynydd a Chynorthwy-ydd Tocynnau
Rhiannon Kemp
Derbynydd a Chynorthwy-ydd Tocynnau
David Lydiard
Pennaeth Dysgu Creadigol
Phillip Mackenzie
Swyddog Marchnata a'r We
Kenon Man
Derbynydd a Chynorthwy-ydd Tocynnau
Giorgia Marchetta
Cyfarwyddwr Cyswllt
Roisin McBrinn
Pennaeth Cyllid
Philippa McGrath
Prif Drydanwr
Rachel Mortimer
Rheolwr y Theatr
Marina Newth
Cyswllt Dysgu Creadigol
Alice Nicholas
Gweinyddwr
Elin Partridge
Cyd-lynydd Artistig
Kate Perridge
Cynorthwy-ydd Cyllid
Marion Price
Cyfarwyddwr
Chris Ricketts
Is Brif Drydanwr
Katy Stephenson
Rheolwr Llenyddol
Siân Summers
Cyfarwyddwr Cyswllt
Mared Swain
Rheolwr Gwisgoedd
Deryn Tudor
Rheolwr Tocynnau a'r Derbynfa
Ceri-ann Williams
Derbynydd a Chynorthwy-ydd Tocynnau
Geraint Williams
Dirprwy Reolwr Llwyfan Technegol
Louise Wyllie

Theatr Genedlaethol Cymru yw'r cwmni drama teithiol iaith Gymraeg cenedlaethol.
O'i chanolfan yng Nghaerfyrddin, mae Theatr Genedlaethol Cymru yn anelu at greu theatr o'r radd flaenaf a rhaglen o waith amrywiol ac uchelgeisiol, eang ei apêl sy'n cyfoethogi bywyd diwylliannol Cymru.

Mae gan y Cwmni hefyd raglen o waith ymestyn a chyfranogi sy'n meithrin a datblygu perthynas greadigol rhwng y cwmni a chymunedau ar hyd a lled Cymru.

Am wybodaeth pellach am ein gwaith cyfranogi, cysylltwch gyda Fflur Thomas ar fflur@theatr.com

Staff:

Cyfarwyddwr Artistig
Arwel Gruffydd
Rheolwr Cyffredinol
Mai Jones
Rheolwr Technegol
a Gweithrediadau
Wyn Jones
Rheolwr Marchnata
Elin Angharad Williams
Rheolwr Swyddfa
Nesta Jones
Cynhyrchydd Datblygu
a Chyfranogi
Fflur Thomas
Swyddog Cyllid
Meinir James
Cynorthwy-ydd Cynhyrchu
Angharad Mair Jones
Cynorthwy-ydd Cyfathrebu
Steve Dimmick
Ymgynghorydd Artistig
Elen Bowman

Mae Galeri Caernarfon Cyf (Cwmni Tref Caernarfon Cyf gynt) yn fenter gymunedol ddi-elw sy'n gweithredu fel Ymddiriedolaeth Datblygu.
Ers sefydlu y cwmni ym 1992, mae'r cwmni wedi gweithio yn ddiflino i wella delwedd tref Caernarfon drwy brynu adeiladau adfeiliedig (siopau, swyddfeydd a thai) a'u hadnewyddu. Erbyn hyn, mae 19 adeilad yn berchen i'r cwmni - yn ogystal a Chanolfan Mentrau Creadigol Galeri, adeilad gwerth £7.5m a agorwyd yn 2005.

Pwrpas adeilad Galeri yw i roi ffocws yng ngogledd orllwein Cymru ar y celfyddydau. Mae'r ganolfan yn cynnwys theatr, stiwdios ymarfer, ystafelloedd cyfarfod, a 23 uned gwaith sydd yn addas ar gyfer cwmnïau sydd yn gweithio o fewn y diwydiannau creadigol. Mae rhaglen ddigwyddiadau Galeri yn cynnwys dramau, nosweithiau comedi, llenyddiaeth, cerddoriaeth, dangosiadau ffilm, gweithdai amrywiol a phrosiectau cymunedol amrywiol.

Am fanylion pellach am y cwmni, rhaglen ddigwyddiadau Galeri ac am brosiectau cymunedol: galericaernarfon.com

GALERI

Dafydd Emyr

– John

Theatr:
Hamlet (Wales Theatre Company); *Kick the Breeze* (BAC); *Amdani* (Script Cymru); *Pinocchio, Danny, the Champion of the World, Merlin and the Cave of Dreams* (Sherman Theatre); *Danny the Champion of the World* (Birmingham Stage Company); *Iesu!* (Theatr Genedlaethol Cymru); *O Diar Porc Peis Bach* (Bara Caws); *Y Llosgwr/ Man of Fire* (Cwmni Whare Teg).

Teledu:
The Famous Five, Friday on my Mind, Casualty, Eastenders, Dr Who (BBC); *Deryn, Merched Lasarus, Lleifior, Rownd a Rownd, Mae Gen I Gariad, Pengelli, Pobol y Cwm, Ista'n Bwl.*

Ffilm:
Derfydd Aur, Dial, Carrie's War, Old Scores, Y Rhwyd, Babylon Bypassed, Brad.

Robin Griffith

– Dilwyn
– Gwleidydd

Hyfforddwyd Robin yn East 15 Acting School.

Teledu a Ffilm:
Yn cynnwys: *Zanzibar, Pentre Bach, Cowbois ac Injans, Tipyn o Stad, Treflan, Mabinogion, Cerddwn Ymlaen, Perthyn, Llygad am Lygad, Licoris Alsorts, A55* (S4C); *Torchwood, High Hopes, Pobol y Cwm, District Nurse, Playing for Real, Out of Love* (BBC); *Coming Down The Mountain* (Tiger Aspect); *Mine All Mine* (Granada TV / Red Lion); *Famous Five* (Zenith / HTV); *Out of Play* (Llifon / Atantique France); *Supertramp* (Prospect); *Scorpion* (Eryri); *Shadowline* (BBC2).

Radio:
Lili Wen Fach (BBC).

Sara Harris-Davies

– Non
– Dynes Busnes

Hyfforddwyd Sara yng Ngholeg Brenhinol Cerdd a Drama Cymru.

Theatr:
Dwylo Fyny, Pawb a'i Fys, O Syr Mynte Hi!, Owain Mindwr (Theatr Bara Caws); *Letus, Llew Lletchwith, Twm a Mati Tat* (Arad Goch); *Lying In, Cnawd* (Anon); *Shirley Valentine, Jeremeia Jones, Man a Man, Clustie Mawr Moch Bach, Vanessa, Smiling Through, You Me and the Gatepost, You Can't Beat Em* (Theatr Gorllewin Morgannwg); *Equus, Rape of the Fair Country, A Christmas Carol, The Journey of Mary Kelly, Hosts of Rebecca, The Changelings, Song of the Earth, Under Milk Wood, Rosencrantz and Guildenstern are Dead, Brassed Off, The Suicide, The Taming of the Shrew, Roots* (Clwyd Theatr Cymru); *Under Milk Wood* (Royal and Derngate, Northampton); *Gwlad yr Addewid* (Theatr Genedlaethol Cymru).

Mae Sara yn Aelod Cyswllt gyda Clwyd Theatr Cymru.

Teledu a Ffilm:
Hywel Morgan, Porth Whisgi, Tocyn Diwrnod, Pam Fi Duw, Cleciwr, Y Ferch Drws Nesa, Pengelli, Palmant Aur, Cowbois ac Injans, Iechyd Da!, Mwy na Phapur Newydd, Traed mewn Cyffion, Cerddwn Ymlaen, Porc Peis Bach, 2 Dŷ a Ni, Y Pris (S4C); *Pobol y Cwm, Trip Trap, Roman Mysteries* (BBC); *Mind to Kill* (HTV); *OJ* (Tŷ Gwyn); *Stamp* (Ffilmiau Eryri); *Cwm Hyfryd* (Pendefig); *Porc Pei* (Cambrensis); *Flick* (Flick); *Abraham's Point* (Abrahams Point Ltd); *Rain* (Tornado Films).

Radio:
Ponty, Atodiad Lliw, Eileen/ Rhydeglwys, Lady in Red, Tree of Knowledge (BBC).

Morfudd Hughes

– Sandra

Hyfforddwyd Morfudd yng Ngholeg Brenhinol Cerdd a Drama Cymru.

Theatr:
Celwydd, Rigo Mortis 2, Os Na ddaw Bloda, Siarad Hefo'r Wal, Hen Walia (Theatr Bara Caws); *Bedlam, Go Fflamia, Cyn Daw'r Gaeaf, Jim Cro Crystyn, Newid Aelwyd, Codi Stêm, Serch Yw'r Teyrn, Euog Di-euog* (Cwmni Hwyl a Fflag); *Panto* (Whare Teg); *Y Gelli Geirios* (Cwmni Theatr Gwynedd); *O Diar!* (Bara Caws / Theatr Gwynedd); *Combrogos* (Theatr Gorllwein Morgannwg); *A Lovely Sunday for Creve Coeur* (Sof A); *Byth rhy Hwyr* (Shimili); *Tân Mewn Drain* (Sherman Cymru).

Teledu:
Chwarae Plant, Guto Goch a Malwen, Bowen a'i Bartner, Panto, Pobol Y Cwm (BBC); *5 Lon Goch, Stori Sbri* (HTV); *Hywel Morgan, Deryn, C'mon Midffild, Pengelli, Bechdan Wŷ, Gwely a Brecwast, Chwilio am y Nefoedd, Tawel Fan, Tipyn o Stâd, Blumenfeld, Cysgodion Gdansk, Hapus Dyfra, Llygad am Lygad, Porc Peis Bach, Y Glas, Rownd a Rownd, Porthpenwaig, Y Fenai* (S4C); *British Myths, The Gift* (Channel 4)

Radio:
Maria Stella, Helyntion Hiwi, C'mon Midffield, Buchedd Nathan, Rhyfel o Hyd, Rhyfel Penllyn, Marged, Ar fy Llw, Be Nesa, Roial Mêl, Blodeuwedd, Os na Ddaw Ddoe Nôl, Rhiannon, Gwen, Cae Codog, Aber, Alis Band a Building Regs, Y Morwynion, Y Streic Fawr, Dani, Raz ac Wmffra, Torri Calon (BBC).

Nerys Lewis

– Tanya

Hyfforddwyd Nerys yn Queen Margaret University College, Caeredin.

Theatr:
Llyncu Geiriau (Cwmni Theatr Arad Goch); *Crwban Mwya'r Byd, Dwisho Dringo Coeden* (Cwmni'r Frân Wen); *Chips ta Ffair* (Sherman Cymru); *Zoom!, Welcome Back* (Walking Forward Theatre Company); *Dewis Dewis... Dau Ddwrn* (Theatr Bara Caws); *Fat Yellow Bellies* (Apocalipstick Theatre Company).

Teledu a Ffilm:
Porthpenwaig, Rownd a Rownd (S4C); *Iawn Dol* (Ffilmiau Opus); *Beautiful As You Dream* (Gateway Productions).

Radio:
Y Ferch yn y Peiriant, Dim Ond Un (BBC).

Christine Pritchard

– Glenys
– Uwch Reolwraig

Theatr:
Yn cynnwys: *Y Claf Di-Glefyd, Hedda Gabler* (Cwmni Theatr Cymru); *Blodeuwedd, Gymerwch Chi Sigaret, Madam Wen, The Corn is Green* (Theatr yr Ymylon); *Y Werin Wydr, Ddoe yn Ôl, Ffrwd Ceinwen* (Cwmni Theatr Gwynedd); *Fel Anifail, Y Bacchae* (Dalier Sylw); *Dulce Domum, Croesi'r Rubicon* (Cwmni Theatr Bara Caws); *Romeo a Juliet, Wrth Aros Beckett, Cysgod y Cryman, Y Pair, Tŷ Bernarda Alba* (Theatr Genedlaethol Cymru); *Biting the Bullet, Talking Heads* (Sherman Theatre Company); *Flowers from Tunisia* (Theatr y Byd); *Perthyn, Panto* (Cwmni Mega); *Chorus of Disapproval* (Clwyd Theatr Cymru); *Angels Don't Have Wings* (Hijinx Theatre Company); *The Importance of Being Earnest, Dangerous Liaisons* (Mappa Mundi); *Romeo and Juliet* (Wales Theatre Company); *An Inspector Calls, Flowers from Tunisia* (Torch Theatre Company); *The House of Bernarda Alba* (Theatr Péna).

Teledu a Ffilm:
Yn cynnwys: *Dim Ond Heddiw, Dinas, Talcen Caled, Rownd a Rownd, Pris y Farchnad, O Na, Y Morgans, Pianissimo, Os Byw ac Iach, Rala Rwdins, Porc Peis Bach* (S4C); *Pobol y Cwm, Rhandir Mwyn, Enoc Huws, Facing Demons, Tender Loving Care, The Magnificient Evans* (BBC); *A Way of Life; Cameleon; Dial; Cwcw (Ffilmiau Fondue).*

Radio:
Yn cynnwys: *Under Milk Wood, Cancer Ward, Summer Folk, Magic Mountain, The Citadel, Morning Story, Book at Bedtime, The Sicilian Expedition, Rhydeglwys* (BBC).

Rhys Richards

– Huw
– Rheolwr Ariannol

Theatr:
Y Mawr, y Bach a'r Llai Fyth (Cwmni Cyfri Tri); *Iechyd Da, Un Nos Ola Leuad* (Cwmni Theatr Bara Caws); *Fala Surion Bach* (Theatr Crwban); *Lewis Jones* (Theatrig); *Y Cylch Sialc, Druid's Rest* (Theatr Gwynedd); *Indian Country* (Sgript Cymru); *Esther* (Theatr Genedlaethol Cymru).

Teledu a Ffilm:
Hywel Morgan, Dinas, Almanac, C'Mon Midffild, A55, Cylch Gwaed, Y Wisg Sidan, Pengelli, Noson yr Heliwr, Iechyd Da, Pum Cynnig i Gymro, Pen Tennyn, Treflan, Emyn Roc a Rôl, Tipyn o Stad, Sombreros (S4C); *Eldra* (Teliesyn); *Bride of War* (Lluniau Lliw); *Cwcw* (Ffilmiau Fondue).

Emyr Roberts

- Entrepreneur
- Chwildroadwr
- Dyn Busnes
- Partner y Rheolwr Ariannol

Theatr:
Dinas Barhaus (Theatr Bara Caws).

Teledu:
Yn cynnwys: *Y Cleciwr, Pelydr X, Llwyth o Docs, Cnex, C'mon Midffild, Teulu'r Mans, Porc Peis Bach* (S4C); *The Politics Show* (BBC).

Radio:
Ll Files, Call of Fame (BBC Radio Wales).

Yn gyn-aelod o'r grwp Y Ficar, mae Emyr yn chwarae'r gitâr fas i Geraint Lovegreen a'r Enw Da, ac ef yw awdur y llyfr *Sibrydion o Andromeda*. Mae Emyr hefyd wedi perfformio stand up ar hyd a lled Cymru ers dros ugain mlynedd.

Manon Wilkinson
– Ellie

Hyfforddwyd Manon yng Ngholeg Brenhinol Cerdd a Drama Cymru.

Theatr:
Un Nos Ola Leuad (Theatr Bara Caws); *Swyn y Coed* (Cwmni'r Frân Wen); *Drowned Out, Write to Rock* (Clwyd Theatr Cymru).

Teledu:
Cei Bach (S4C).

Radio:
Eileen, Digwyddiad ar Clive Road (BBC Radio Cymru).

Bethan Marlow

– Awdur

Hyfforddwyd Bethan fel actores yn Webber Douglas Academy of Dramatic Art cyn cychwyn gyrfa fel dramodydd.

Theatr:
Patroiophobia (Sherman Cymru - Cityscape); *Sgin Ti Gariad* (Sherman Cymru - Egin: Spring Board); *Digital* Tea Dance (Pontio); *The Beach* (National Theatre Wales); *6.18pm* (Paines Plough - Come to Where I'm From); *Unprotected* (Velvet Ensemble/ Wales Millennium Centre), *KKK* (Royal Shakespeare Company). Prosiectau aml-lwyfan yn cynnwys: *Such Tweet Sorrow* (Royal Shakespeare Company / Mudlark); *The Singhs* (Mudlark); *Sgin Ti Syniad* (Theatr Genedlaethol Cymru / Galeri, Caernarfon); *Cuatroojos; Hatty Rainbow*.

Teledu a Ffilm:
ABCDad (BBC); *Iawn Dol, Cei Bach* (S4C).

Arwel Gruffydd

– Cyfarwyddwr

Graddiodd Arwel o Brifysgol Bangor, cyn mynd ymlaen i hyfforddi fel actor yng Ngholeg Webber Douglas, Llundain. Bu'n Gyfarwyddwyr Cyswllt Sherman Cymru 2008-2011. Ef yn awr yw Cyfarwyddwr Artistig Theatr Genedlaethol Cymru.

Theatr:
Cyfarwyddo yn cynnwys:
Llwyth, (Sherman Cymru / Theatr Genedlaethol Cymru); *Ceisio'i Bywyd Hi, Maes Terfyn* (Sherman Cymru); *Yr Argae* (Sherman Cymru / Torri Gair); *Croendenau, Agamemnon, O'r Gegin i'r Bistro* (Prifysgol y Drindod Dewi Sant); *Noson i'w Chofio, Gwe o Gelwydd* (Cwmni Inc); *Mae Sera'n Wag* (Sgript Cymru / Prosiect 9); *Hedfan Drwy'r Machlud* (Sgript Cymru / Coleg Brenhinol Cerdd a Drama Cymru); *Teyrnged i'r Diweddar Graham Laker* (Theatr Gwynedd); *Life of Ryan... and Ronnie* (Sgript Cymru - Cyfarwyddwr Cynorthwyol).

Fel actor - theatr, teledu a ffilm yn cynnwys:
Measure for Measure (Sherman Cymru); *Under Milk Wood* (Royal & Derngate, Northampton); *Diweddgan* (Theatr Genedlaethol Cymru); *Drws Arall i'r Coed, Diwrnod Dwynwen* (Sgript Cymru); *Amadeus, Ddoe Yn Ôl, Y Werin Wydr* (Cwmni Theatr Gwynedd); *Treflan, Bob a'i Fam, Cyw Haul, Eldra, Oed yr Addewid, Atgof, Hedd Wyn, Stormydd Awst* (S4C); *Heidi* (Piccadily Pictures / CF1).

Cai Dyfan

– Cynllunydd

Tyfodd Cai i fyny mewn melin ddŵr yn nyfnderoedd Eryri. Bellach, wedi graddio o Goleg Brenhinol Cerdd a Drama Cymru, mae'n rhannu ei amser rhwng Caerdydd a Llundain yn gweithio ar gynyrchiadau theatr, ffilm a theledu.

Theatr yn cynnwys:
Wasted (Paines Plough a Birmingham Rep); *The Passion, The Village Social* (National Theatre of Wales); *Your Last Breath* (Curious Directive).

Bu'n gweithio fel intern ar ffilm animeiddio newydd Tim Burton Frankenweenie ac fel rhan o'r greens team ar Pirates of the Caribbean: On Stranger Tides.

Elanor Higgins

– Cynllunydd Goleuo

Graddiodd Elanor o Goleg Brenhinol Cerdd a Drama Cymru lle mae hi erbyn hyn yn gweithio fel darlithydd rhan amser.

Theatr:
Yn cynnwys: *Aesop's Fables, Stick Man, Private Peaceful* (Scamp) *Y Gofalwr, Dau. Un. Un. Dim/Yn Y Trên* (Theatr Genedlaethol Cymru); *Yr Argae, Maes Terfyn* (Sherman Cymru); *Black Crows* (Clean Break); *The Last Pirate* (Spectacle Theatre); *Acqua Nero, Hen Bobl Mewn Ceir, Orange, Cymru Fach, Drws Arall I'r Coed, Amdani, Indian Country, Diwrnod Dwynwen, past away, Dosbarth, Franco's Bastard, Ysbryd Beca, Art and Guff* (Sgript Cymru); *Diwedd Y Byd/Yr Hen Blant* (Sgript Cymru a Theatr Gwynedd); *Bitsh* (Cwmni'r Frân Wen); *Stowaway* (Theatr na n'Og); *Oblomov's Dream* (Fly on the Wall); *Flowers from Tunisia, The Caretaker* (Torch Theatre); *Errogenous Zones* (Sherman Theatre Company); *Rats, Buckets and Bombs* (Nottingham Playhouse); *Faust, Frida and Diego* (NYTW); *OperaScenes* (2006/2008/2009 CBCDC); *A Real Princess, Sweeney Todd, The Rake's Progress* (WNO Max); *Ysbryd Beca, Radio Cymru, Tair* (Dalier Sylw); *Cavelleria Rusticana, I Pagliacci* (Jigsaw Opera); *Linda di Chamounix* (Opera Omnibus); *Boxin* (Kompany Malakhi); *Spirit of Cornwall* (Duchy Ballet).

Osian Gwynedd
– Cynllunydd Sain

Teledu:
Gwaith Cartref (Fiction Factory/S4C); *Eisteddfod Genedlaethol* (BBC/S4C); *Bois Y Loris* (Bwcibo/S4C); *Rhyfedd-Od, Pethe, Dweud Pethe, Pethe Hwyrach, Pethe Eraill, Tudur O'r Doc, Ffitrwydd 100%, Rygbi 100%* (Cwmni Da/S4C); *Bandit* (Boomerang/S4C).

Theatr:
Tyner Yw'r Lleuad Heno, Bobi A Sami a Dynion Eraill, Dominos (Theatr Genedlaethol Cymru); *Hawl, Dim I.D, C'laen, Johnny Delaney, Weji,* (Cwmni'r Frân Wen); *Drws Arall I'r Coed* (Sgript Cymru).

Suzie Firth
– Coreograffydd

Hyfforddwyd Suzie mewn Dawns a Pherfformio Theatr yng Ngholeg Bird, Caint.

Gwaith cyfarwyddo/coreograffydd yn cynnwys:
Wondering (Think Later); *Mimosa-Yr Hirdaith/The Long Journey, A Day Like No Other, Century, Mabinogi, An Informers Duty,* (Theatr Genedlaethol Ieuenctid Cymru); *Siegfried, Die Walkure, Das Rheingold,* (Longborough Festival Opera); *Ffawd,* (Theatr Ieuenctid yr Urdd); *After the Birds* (Earthfall).

Mae Suzie wedi perfformio gyda nifer o gwmniau a coreograffwyr sydd yn cynnwys:
Bombastic: Sean Tuan John, Music Theatre Wales, Osez: Karine Ledoyen, Melanie Demers & Dominique Porte, Longborough Festival Opera, Sweetshop Revolution: Sally Marie, Luca Silvestrini, Willi Dorner, 28 Degrees Dance Co: Chloe Loftus, Welsh National Opera, Earthfall, Cai Tomos, Ascendance Rep: Tom Rhoden & Gary Clark, Charlotte Vincent, Phil Williams, Romain Guion, Marc Rees & Eddie Ladd, Diversions Dance Company, Moving Beings.

Yn diweddar, cafodd Suzie ei apwyntio fel Cydlynydd Datblygu i Dawns Genedlaethol Ieuenctid Cymru.

Cai Tomos

– Cyfarwyddwr Corfforol

Astudiodd Cai dawns ym Mhrifysgol Coventry.

Gwaith yn cynnwys:
AD, I Can't Stand Up For Falling Down a At Swim Two Boys (Theatr Gorfforol Earthfall); *En Residencia* 2009 Gijon, Sbaen gyda Mark Rees a Benedict Anderson; *For Mountain, Sand and Sea* (National Theatre Wales) ac ar hyn o bryd mae Cai yn rhan o brosiect *Adain Avion* sef comisiwn Marc Rees.

Cyflwynodd *Breakdown* a *Gwyrth* (Gŵyl dawns Horizons / Festival of Dance in non-conventional spaces, Uruguay). Mae wedi cyflwyno ei waith newydd *Calon* yn Stiwdio Siobhan Davies ac yng Nghanolfan Chapter, Caerdydd ac fe gyflwynodd y fersiwn lawn o 'Calon' yn Hydref 2009 fel rhan o gomisiwn gyda Galeri, Caernarfon. Mae Cai wedi teithio ei waith yn rhyngwladol a thrwy Brydain fel rhan o'r 'Dance Road Scheme' gyda Dawns Annibynnol Cymru.

Derbyniodd wobr Dyfarniad Cymru Creadigol o £10,000 gan Gyngor Celfyddydau Cymru i ddatblygu ei waith ac yn ddiweddar enillodd ysgoloriaeth Lisa Ullmann.

Ar hyn o bryd mae Cai yn gwneud gwaith ymchwil i'w waith newydd *Pobl/People*. Mae newydd gwblhau ei Ddiploma mewn Cymhwysiad Therapiwtig y Celfyddydau o'r Sefydliad Therapi a'r Celfyddydau mewn Addysg ac mae'n parhau gyda'i MA mewn Seicotherapi celfyddydol integreiddiol. Mae yn ddarlithydd ymgynghorol i Brifysgol Chichester.

Sgint

Bethan
Marlow

SGINT

gan **Bethan Marlow**

Pan o'n i'n cynfasio esh i fewn i . . . i . . . i un o'r tai ar lôn Sgubor Goch a diaw', o'dd o newydd ddod nôl o'i waith ac . . . yyy . . . dyma fo'n deud, "Sgen ti ddim syniad sud ma' pobol fel ni'n byw" a do'dd o'm yn ddeud o'n gas ond o'dd o'n ddeud o gydag argyhoeddiad ynde. "Sgin ti'm syniad sud ma' pobol fel ni'n byw" . . . aaa . . . ma' raid i fi ddeud, ti'n gwbo', ma' raid i ti roi dy law i fyny a deud, "Mae o'n iawn".

Dafydd Iwan

Cymeriadau

Actor 1	Sandra
Actor 2	Ellie
Actor 3	Glenys Uwch Reolwraig
Actor 4	Non Dynes busnes
Actor 5	Tanya
Actor 6	Huw Rheolwr Ariannol
Actor 7	John
Actor 8	Dilwyn Gwleidydd
Actor 9	Entrepreneur Chwyldroadwr Dyn Busnes Partner y Rheolwr Ariannol
Y plant	Sophie Jack Cai Dyfan

/ yn dynodi bod y cymeriad nesa'n cychwyn siarad.
Ni ynganir y geiriau/llythrennau mewn [ ].

Daw pob gair o'r ddrama hon o gyfweliadau rhwng yr awdur a'r unigolion uchod. Newidwyd eu henwau er mwyn gwarchod a pharchu eu hunaniaeth.

ACT 1

Prolog

ELLIE:

Gesh i ryw boi yn dod ata fi dwrnod o'blaen iawn . . . a, o'n i'n bus stops o'n i, ff, o'n i'n flin ia. O'dd Sophie, o'dd Sophie 'di ga'l tri ice lolly iawn ag o'dd hi ishio un arall, a dyma fi'n deud na. O'n i'n bus stops yn disgwl am bus i fynd adra. "Gei di un pan 'da ni adra", ddudish i, a ga'th hi fflip ia. So dyma fi'n codi hi fel'a ia, so ma' fi'n jysd gafa'l yni, a dyma fi'n jysd roid hi i isda ar y ffocin bus, stop ia a dymai'n bangio pen hi ia. "Stopia 'ŵan iawn", udish i fel'a 'tha hi. Boi 'ma'n dod i fyny ata fi – "Can you not do that to her again please." "Do you want to mind your own fucking business?" udish i ia. O'n i'n fuming ia! (*Tagu*). "Well you don't do that . . ." "Listen, have you got two kids?" . . . yyy . . . "Are you bringing up two kids by yourself? In the school holidays?" udish i. "No." "So fucking mind your own business ia?" "Don't do this again." Dyma fi'n codi wedyn ia, "Mind your business" cont. O'n i'n crynu a bob dim 'sdi. Gin pobol cheek ia.

SANDRA:

Gafo ni ddoctor yn aros . . . ym . . . 'sai 'di bod yn dair wsos, am dair wsos. O'dd gynno nw ddau o hogia bach. Chinee o'dd o a hogan o Llandudno oedd hi – ooo, a plant bach del ti'bo. Aaa . . . yyym . . . o'dd y plant yn dod fewn i nofio a pan o'dda nw'n dod o'na o'dda nw'n ca'l Oreo biscuit a glass o lefrith gynno ni achos bo' nw 'di bod yn dda yn y pwll, ddim yn sblashio, ddim yn jympio a betha. O'dda ni gyd yna, o'dda ni'n ca'l meeting bora dydd Iau . . . yyy . . . bora dydd Gwenar pan ddoth hi . . . aaa . . . yyy . . . dymai'n gweiddi arna fi i un ochor . . . yyy . . . "Can I have a word with you?" medda hi. A dymai'n deud, "I just wanna say thank you for everything you've done this week, you've been so helpful", medda hi, "aaa . . . and . . . can I give you this?" medda hi.

Sandra yn dangos 'mobile charm' siâp angel.

A wedyn . . . yyy . . . roth hi hug a petha' i fi. A dyma fi'n cerad nôl 'ŵan at powb arall. Dechra' crio. A dyma fi'n gofyn wrthu nw, "Am I allowed to keep it?" Peth cynta' udish i, o'n i'm yn gwbo' os o'n i fod i gadw fo . . . dwi rioed 'di ca'l presant gynno neb dwi'm yn nabod.

ELLIE:

Ma' nhw'n sbiad arna fi ia fatha, fucking hell, sbia arna hi, ma' hi' 'di ca'l dau, di methu cope-io at all ia.

SANDRA:

Dwi'n licio petha' fel hyn. Ma'r ddynas 'ma'n neud . . . yyy . . . dreamcatchers a petha'.

ELLIE:

Mae o'n gwylltio fi 'sdi.

SANDRA:

Dwi'n meddwl bo' pan ti'n breuddwydio, ti'n breuddwydio am rheswm.

Saib

Ma' 'na rheswm iddo fo dwi'n meddwl.

Saib

ELLIE:

Dream fi o'dd dwnshio.

Golygfa 1– Pwy a Lle

NON:

Oci-doci.

PARTNER Y RHEOLWR ARIANNOL:

Panad?

RHEOLWR ARIANNOL:

Paned? Steve. Mhartnar i.

PARTNER Y RHEOLWR ARIANNOL:

Hi.

RHEOLWR ARIANNOL:

Sorry, yeah, my partner, he's . . . 'dio'm yn dalld Cymraeg. (*Chwerthin*).

PARTNER Y RHEOLWR ARIANNOL:

Umm . . . yeah?

RHEOLWR ARIANNOL:

Yeah, cool.

PARTNER Y RHEOLWR ARIANNOL:

Do you want lemon verbena?

RHEOLWR ARIANNOL:

Lemon verbena?!

Rheolwr Ariannol yn chwerthin.

RHEOLWR ARIANNOL:

Yeah, cool. Actually, let me check my texts just in case, just in case something's happened to Marks and Spencers my'n ufflwn i!

Chwerthin.

DILWYN:

Ma' hon 'di clamio fyny 'ŵan 'li.

Glenys yn chwerthin.

DILWYN:

'Sdedda.

GLENYS:

Pwy questions tishio gwbo'?

DILWYN:

Ti ishio panad?

GLENYS:

Oes plis.

HUW:

Ti ishio dechra'?

NON:

Mynd i Fangor de i ddysgu, gneud cwrs dysgu. Cyfarfod Huuuuw.

HUW:

Ag ishio lle i fyw. 'Da ni'n sôn am faint . . . dau ddeg . . .

NON:

Dau ddeg chwech.

HUW:

Dau ddeg chwech mlynadd yn ôl yndan?

NON:

O. Na. Dau ddeg chwech o flynydd . . . dau ddeg pump o flynyddoedd yn ôl ac o'dd o'n dau ddeg chwech mil.

HUW:

Dau ddeg chwech mil. Ia. Ag ar y pryd o'dda ni'n . . . o'dda ni 'di gwirioni efo'r lle ag o'dda ni 'di deud "O, nawn ni byth fynd allan eto".

Non a Huw yn chwerthin.

NON:

Dau gar bach rhydlyd . . . aaa . . . 'mond hynna o'dd gynno ni i ddechra' de?

HUW:

O'dd o'n grêt.

NON:

Ga'tho ni bed-settee do? O *MFI*.

HUW:

Do.

NON:

A na'tho ni gysgu ar hwnna noson gynta yn fa'ma ag o'n i fatha . . . dim cyrtans, nothing, dim byd.

HUW:

Dyna o'dd yr hwyl adag yna de.

NON:

Asu, ifanc o'dda ni adag yna ti'n gweld de.

HUW:

Dwi'n cofio, mynd i'r small ads achos / dyna o'dd bob dim adag hynny.

NON:

Argo ia, a llwyth o betha' ail-law 'sdi.

HUW:

Ti'n cofio ryw ddyn o Bengr/[oes] . . .?

NON:

(*Cofio*) Ooo. / Do.

HUW:

Geutho ni lwyth . . .

NON:

Wardrobes. Hen, ti'n gwbod . . . yyym . . . Lloy . . . Lloyd Loom fatha wicker, petha' wicker, ma' nw dal yn lloft ni.

HUW:

A ninna'n meddwl bo' ni 'di ca'l . . . wel, mi geutho ni'r byd.

NON:

Chest of drawers bach de, drws nesa de. Ga'tho ni o skip yndo?

HUW:

Lawr lle ma' maes parcio . . . ym . . . Cyngor Arfon w'th ymyl y Galeri. O'dd fan'no'n wag i gyd ac mi o'dd 'na sgip cymuned yn dod i fan'no bob hyn-a-hyn yn doedd? Adag hynny de, do'dd ailgylchu'm yn bod.

NON:

Nagoedd, ond o'dda chdi yn! (*Chwerthin*). O'dda ti w'th dy fodd.

HUW:

Mynd yna i weld . . . be' o'dd yna.

Saib

NON:

Ma' pobol yn meddwl bo' nw 'di gneud llun ohona ni.

HUW:

Ia.

NON:

Ma' nw'n meddwl yndi. "O, 'da chi'n byw yn y tŷ mowr 'na".

HUW:

'Da ni'n byw yn yr ardal yma o G'narfon felly 'da ni'n honedig yn buta chips yn gwisgo menyg de ti'n gwbo'.

NON:

Y genod sy' 'di ga'l o. Yn ddiweddar 'ma, rywun 'di troi at Elliw a deud ". . . yyy . . . ti'n byw [yn] . . ."

SANDRA:

Cae Gwyn.

NON:

"A digon o bres ac hyn a llall ag arall".

ENTREPRENEUR:

Twthill.

TANYA:

Maesincla.

HUW:

Hendre.

GLENYS:

Sgubor Goch.

SANDRA:

"'Da ni'n dod o'r poor estate, Sgubs, Bronx".

GLENYS:

Nawn nw byth ddeud 'chdi' wrtha chdi 'sdi. 'Chi' ma' nw'n deud 'sdi. Ma' nhw . . . yndi Dilwyn? Pobol Sgubor Goch, 'chi' ma' nhw'n deutha pobol.

DILWYN:

Nes ma' nhw'n ga'l ryw dri pedwar peint . . . (*Chwerthin. Geirio*) "Iawn cont?"!

Glenys a Dilwyn yn chwerthin.

SANDRA:

Dwi'n cofio pan o'n i'n sixteen, gesh i job ynnnn siop yn dre . . . siop beics o'dd o . . . dod i adag Dolig, dwi'n cofio dynas yn dod i fewn, o Cae Gwyn oedd hi . . . aaa . . . dyma'i ishio beic ac o'dd o ryw bythefnos cyn Dolig oedd o, ac o'dd y beics i gyd, pobol o Sgips 'di bod yn rhoi pres trw' flwyddyn i ca'l y beics i'r plant Dolig. A ddoth hi fewn hefo'i mhab hi ac o'dd yr hogyn 'ma'n crio ishio beic ac o'dd y beic 'ma'n ffenasd ac o'dd hi 'di ga'l 'i werthu i rywun o Sgips a dyma'r fam yn deud wrth y dyn o'n i'n gwithio 'fo, Twm, "Dalai ddwbwl i chi, hon 'di'r beic mae o ishio. 'Di pres ddim yn . . . dala'i dwbwl . . ." A mi ddudodd o, "Na, sori.", medda fo. "Ma hon wedi'i ca'l 'i gwerthu a ma'r ddynas 'di bod yn talu bob wthnos". A 'nai fyth anghofio fo'n deud pan a'th hi trw' drws "Pobol fowr 'li, pres gynno nw, a meddwl ma' nw'n ca'l prynu be' bynnag ma' nw ishio".

Saib

GWLEIDYDD:

Dwi'n credu fod ca'l rhyw wahania'th fel'a mewn tre yn . . . yn eitha . . . afiach ynde.

SANDRA:

O'dd 'na naw ohona ni. Oedd hogia', chwech o hogia' mewn un bedroom, ia, tri set o bunkbeds ia, a oedd Mam a Dad mewn room

. . . aaa . . . tri o'r genod mewn room bach. Y box room o'dda ni'n alw fo.

ELLIE:

Esh i fewn i care pan o'n i'n fifteen.

SANDRA:

A'tho ni rioed heb fwyd. Ym . . . dwi'n cofio o'na adegi lle ella bo' ni fatha plant yn ca'l beef burger a ella 'sa Dad yn ca'l tamad o gig, blow, o'dda ni'n ca'l bwyd. O'dda ni'n ca'l brecwast, cinio a te felly. Blow, a'tho ni heb lot o betha' erill.

ELLIE:

Dwi'n meddwl na'th mam fi ffonio nw. Either mam fi ne' police.

SANDRA:

Dwi'n cofio'n chwaer yn ca'l buggy, double buggy, twin buggy efo streips coch a gwyn. O'dd hi'n ca'l 'i birthday yn November, dwi'n cofio hi'n ca'l hwnna yn November. Erbyn y December o'dd hi'm ishio fo a na'tho nw rapio fo i fi Dolig ag o'n i'n meddwl y byd o'r buggy 'ma.

ELLIE:

Bob weekend o'n i'n yfad, dod adra'n lysh, dechra' 'fo dad fi ne' mam fi ac o'n i'n endio fyny'n ca'l cic allan ne' jysd cerad allan ia. Bu' . . . yyym . . . ia.

JOHN:

Dwi'n cofio un Dolig. Mam de. Dad newydd farw de yn . . . sixty-nine ia. Wedyn o gwmpas seventy-two, seventy-three ga'th Gavin beic newydd i Ddolig 'li a finna'n ca'l un second-hand. Fi 'di hynna ia. Mynd yna, jysd pasio na'tho ni a dyma fi'n gweld y beic bach second-hand, a hwnna o'n i ishio a hwnna gesh i. Welish i beic fi de ac o'dd 'na drop handle bars a bob dim. Resar. Pump gêr a bob dim. Hwnna o'n i ishio a na'th o'm costio ffwcin hannar gymaint â un Gavin naddo.

ENTREPRENEUR:

Ma' gin ti'r damn lle, lle dwi'n byw . . .

GWLEIDYDD:

Dwi'n byw yn Lôn Ddewi.

ENTREPRENEUR:

Ddim y dosbarth gweithiol 'faswn i'n ddeud, ti'n gwbo' rheolwyr banc, gweithwyr proffesiynnol.

GWLEIDYDD:

Ag . . . ym . . . dwi'n cofio neidio mewn i tacsi . . . aaa . . . rhywun yn dod dros y CB yn gofyn lle o'dd y tacsi'n mynd – "O, ar y ffor' fyny snobs avenue".

HUW:

G'narfon.

DYNES BUSNES:
G'narfon.

JOHN:
Dre.

GLENYS:
Cofis.

ENTREPRENEUR:
Dydi C'narfon ddim yn wahanol i unrhyw le arall reit? Dwi'm ishio . . . ma' pobol yn deud C'narfo . . . Reit, iawn.

GWLEIDYDD:
Pan o'n i'n tyfu fyny 'ma o'dd gynno chi ffatri o'dd yn cyflogi saith gant yn Ferrodo, pump cant yn Bernard Wardle . . .

ENTREPRENEUR:
O'dd gin ti Hepworths a pethe' fel hyn yma 'nde.

DILWYN:
O'dd 'na siopa ar hyd . . . Stryd Llyn. O'dd 'na . . . o'dd 'na dri, bedwar siop crudd, o'dd 'na siopaaa . . . Ti'n cofio?

GLENYS:
Argiad oedd. Miss Tomos Gwningan! (*Chwerthin*). Potchiwrs yn dod â cwningod iddi / de.

DILWYN:
O'dda nhw'n / hongian allan.

GLENYS:

Ac o'dd hi'n hongian nhw allan a wedyn o'dd, o'dd hi'n plingo nhw i chdi fatha o' tishio, dwi'n cofio. Ych, codi pwys arna fi.

DILWYN:

A Johnny Call Again ia. Siop . . . yyy . . . clockmaker o'dd o ia?

GLENYS:

Ifan Gannwll. Siop Ifan Gannwll ia. Gwerthu ice-cream. Ia. Pam o'dda nw'n galw fo'n Ifan Gannwll? Gesh i rioed w'bod hynny.

DILWYN:

Dwi'm yn gwbod o'dd o . . . / o'dd o run siâp â, â cannw/[ll] . . .

GLENYS:

A Charlie Baco'n gwerthu baco. (*Chwerthin*). O, o'dd 'na lot o garacters. Sodla' Aur. Wil dau funud, Wil cwdyn rags.

DILWYN:

Dre yn uffar o le am ffugenwa' ia.

GLENYS:

Drop of the hat you get a ffugenw.

DILWYN:

Cachu Menyn, Cachu Iâr, Cachu Calad!

Y ddau yn chwerthin.

DILWYN:

Ffani (*geirio heb lais*) ffwcin ffeind.

GLENYS:

(*Ebychiad*) O na, raid chdi beidio deud petha' fel'a Dilwyn.

ENTREPRENEUR:

Ma' C'narfon wedi mynd yn ddibynnol ar Cyngor Gwynedd, y Brifysgol a'r Gwasaneth Iechyd. Ie.

GWLEIDYDD:

Cyfuniad o bobol sy'n byw ar y wladwriaeth a pobol sydd mewn swyddi gymharol fras.

DYNES BUSNES:

Dwi yma 'ŵan ers pedair blynadd. Dwi'n mynd ar y bumad rŵan. Dwi dal yma! (*Chwerthin*).

ENTREPRENEUR:

Reit . . . dwi'n dod o . . . ma'n amlwg bo' fi'm yn dod o . . . dwi'n dod o'r de yn wreiddiol. O'n i'n trefnu gigs yn yr Octagon a'r Majestic felly . . . i . . . i'r Blaid, o'dd hwnna ddim i neud pres felly.

DYNES BUSNES:

Dwi reit hapus yn y stryd de. Ma' gynno fi lle lliw haul lawr lôn, drws nesa iddo fo ma' 'na lle Indian takeaway yn mynd i agor, gin ti Bargain Booze wedyn, gei di ga'l dy wylia'n fa'ma a wedyn, i diweddu fo (*chwerthin*) gin ti dy bobol claddu chdi drws nesa! So 'dio'm rhy ddrwg 'sdi! (*Chwerthin*).

ENTREPRENEUR:

Na'th y Majestic losgi lawr.

DYNES BUSNES:

Favourite ffilm fi ydi "Beryl, Cheryl a Meryl". (*Saesneg*) BCM. Ah, ma'n ffantastic, gesh i o Dolig gin yr 'ogia. A fa'ma 'da ni'n taeru, "Pwy 'di Cheryl? Pwy 'di Beryl? Pwy 'di Meryl?" (*Chwerthin*).

ENTREPRENEUR:

Felly o'dd gynno ni adeilad peder llawr, netho ni clwb nos yn y ddau lawr isa'. Wedy'ny, dyna . . . a wedy'ny na'th hwnna mynd ymlaen am ryw dair, peder blynedd, wedy'ny dyma ni'n penderfynu, "Reit, ma' raid i ni neud rwbeth i fyny grisie, a dyna pa bryd netho ni benderfynu – reit . . . netho ni neud . . . ym . . . y darn yma o'r adeilad . . . yyy . . . A wedy'ny . . . a dyna lle 'da ni.

DYNES BUSNES:

Ash cloud a'r llwch – o'n i fyny at, un noson, tan ddau o gloch bora. O'dd gynno fi rei o'dd fod yn hedfan allan, a wedyn o'dd 'na rei erill o'dd i fod i ddod yn ôl ar yr un . . . ar y flight yna.

DYN BUSNES:

Wel . . . yyy . . . jysd i roi chdi yn y pictiwr 'lly, dwi 'di bod mewn catering erioed 'lly, wrth gwrs, 'di gweithio mewn amryw o lefydd o pub grub, hotel Portmeirion . . . aaa . . . disgyn mewn yn ddamweiniol mewn i siop tships nesh i.

DYNES BUSNES:

Wedyn o'dd heina o'dd yn mynd allan – gesh i ffôn, "Reit, oce, ma' nw'n ail-agor yr awyr felly 'da ni'n mynd felly, 'nde". Off â nw i Manceinion. O'dda nw wedyn yn ffonio fi adra wedyn ar y mo . . . ffôn symudol a deud "Yndi, 'da ni'n mynd 'ŵan, 'da ni'n mynd, 'da ni'n cychwyn mewn hyn". "Oce, newch chi ffonio fi pan 'da chi yn y giât ta i neud yn siŵr bo' chi yn mynd felly?" achos o'dd bob dim yn ca'l 'i sdopio munud ola felly. Wedyn na'tho nw ffonio fi o'r giât, "'Da ni'n mynd ar yr awyren 'ŵan". "Oce, grêt". So o'n i'n ffonio rei allan wedyn yn Sbaen, "Reit, gnewch y'ch ffor' i'r airport 'ŵan ma'r awyren yna!"

DYN BUSNES:

'Dio'm yn rocket science i goginio tships nadi?

DYNES BUSNES:

Felly o'dd hyn yn mynd tan ddau o gloch bora! (*Chwerthin*). Ond ma' rwla bach fel'ma'n gallu gneud hynna. 'Da ni'n gneud yn dda allan o jocleds a bloda a gwin a ballu'n bresanta de. Dyna pam dwi'n edrach mor dda a petha' dwi'n meddwl! (*Chwerthin*).

DYN BUSNES:

W'sdi be', dwi'n uffar am fynd . . . pan 'da ni ffwr' ar y'n gwylia', fi a'r wraig a'r plant 'lly, fyddan ni'n mynd . . . os 'dio'n Tenerife neu os 'dio'n Mexico neu lle bynnag 'da ni'n mynd, hyd yn oed os ydio'n . . . yn Tenby! A 'i fewn i siop tships jysd i weld 'lly, i fusnesu, a gweld os fydd 'na rwbath gwahanol ar y menu neu rwbath ma' nw'n neud yn wahanol 'lly, a na'i isda 'na'n busnesu, gweld be' sy'n mynd ymlaen 'lly. A wedyn tynnu'r syniada' 'na, os ydyn nw'n syniad da, os 'di rhywun yn gneud rwbath yn well na fi, a defnyddio fo'n fa'ma 'lly. Wedyn dros y blynyddoedd ti'n ffeindio ffor', dwi'n gwbo' ella bod hyn yn swnio'n rhyfadd ond, ffeindio ffor' gwahanol i neud dy tships, sud i goginio nw a dod fyny efo'r product gora ar ddiwadd y dydd 'lly, ti'n gwbo'? So, ia. Ti'n dysgu bob dydd. Dwi dal yn dysgu bob dydd.

GLENYS:

Fyddai'n entertainio Americans w'sdi am fod y Welsh Office 'di gofyn 'sa ni'n entertainio Americans a dangos sud odda ni'n byw a 'rar' a ryw betha' felly. Ma' taxi'n dod â nhw yma hannar awr 'di chwech, unwaith yr wythnos, ag o'n i'n gneud four-course meal iddyn nhw te. Leek soup, lamb dinner, sherry trifle a bara brith te. O'n i'n gneud chwech ohonyn nhw bob tro, a rhaid i ni isda (*dan ei gwynt*) o'n i'n ca'l 'y nhalu, o'n i'n isda hefo nhw, fi a Dilwyn te, o'dda ni'n siarad amdan . . . yyy . . . dre a o'dda nhw'n dychryn bo' ni'n siarad Cymraeg ia / iaith gynta' ia.

DILWYN:

Oedd, o'dd hynny'n sioc / iddyn nhw.

GLENYS:

Ia, oedd.

DILWYN:

O'dda nhw'm yn disgwl hynny.

GLENYS:

Ddim yn disgwl hynny. A wedyn, w'sdi, ma' Susnag chdi'n 'chydig bach yn rusty pam ti'm yn siarad dydi (*acen Americanaidd*). You must excuse my English (*chwerthin*). A hogan ddel yna oedd Dilwyn?

DILWYN:

Ooo, iaaa.

GLENYS:

"I'm retired now", medda hi ac o'n ni yn y gegin te, ag y . . . "Glenys, come through", medda'r Americans 'ma "you'll never guess what she used to do / before she retired . . .".

DILWYN:

Ag o'n i'n gwbod achos o'n i 'di bod yn isda w'th y bwr'.

GLENYS:

A sbia, iesgob, gynno fi goblyn o sense of humour, na, ma' Cofis Dre hefo sense of humour. "Oh I bet she was a table dancer", medda fi! (*Chwerthin*) (*acen Americanaidd*) "She looks so smart". Ia, a dyma . . .

DILWYN:

US Ambassador.

GLENYS:

Ia.

Glenys yn chwerthin.

Golygfa 2 – Mam, Merch, Magwraeth

SANDRA:

O'dd 'na llai o ferched yn gwithio, llai o fa'ma'n gwithio am bo' adag yna, amsar yna, o'dd y fam adra'n magu.

ELLIE:

Nesh i aros yn care am blwyddyn a wedyn nesh i ddod yn d'ôl. O'dd social services 'di roi fi mewn B an' B achos o'n i'n homeless ia. A wedyn nesh i meetio Tom, a within mis o'n i'n disgwl.

GLENYS:

Genod bach ifanc hefo coitchus a 'dyn nw'm yn edrach mwy na fifteen, sixteen a ma' nhw'n ca'l bob dim am bo' nhw'n ca'l babi. Ca'l five hundred pounds syth bin. A gynno fi gwilydd withia' de, pan ma' gynno ni visitors.

NON:

Ishio ca'l de. Ca'l 'wbath bach i . . . i garu 'li. Ella bo' nw jysd yn meddwl bod 'na ufflwn o dwll mawr yn 'u byd bach nw a ma' nw'n meddwl bod ca'l babi'n mynd i lenwi'r . . . hwnna. **Mae** o'n drist de.

SANDRA:

Blow ers ma'r busnas 'ma "equality" 'di dod i fewn iddo fo, dwi'n meddwl ma' meddwl ddynas 'di newid.

ELLIE:

Wedyn ga'th o cic allan achos o'dda ni 'di ffruo a wedyn a'th o'n violent a warever, a wedyn . . .

JOHN:

"Role reversal" 'dio 'ŵan de?

SANDRA:

Ia.

UWCH REOLWRAIG

Pan o'dd 'y mhlant i'n weddol ifanc, yn saith ac yn bedair, na'th 'y ngŵr i farw. So o'n i ar ben y'n hun.

ELLIE:

Gesh i tŷ. Yn Llanllyfni.

JOHN:

Dwi 'di sylwi mwy o tada'n mynd â ffycin prams. Pasio tŷ, ti'bo.

SANDRA:

Ia. Ag es / 'di rioed

JOHN:

Esh i rioed â goetch allan de.

SANDRA:

Oedd o'n gwithio. Na'th o rioed newid napi. Ag o'n i'm yn disgwl o newid napi.

UWCH REOLWRAIG:

Wedyn do'dd gin i'm dewis, o'dd rhaid i mi weithio achos o'dd rhaid i mi ga'l pres.

JOHN:

Hannar napi nesh i rioed newid.

UWCH REOLWRAIG:

O'dd rhaid i mi jysd cario 'mlaen achos o'dd gin i ddau o blant bach so am bum mlynadd, nes i mi ail-briodi, o'n i'n fam sengl. So o'dd jysd rhaid i fi neud o. Llawn-amsar. Nesh i rioed gweithio rhan-amsar.

ELLIE:

A nesh i symud fewn efo Tom.

SANDRA:

O'dd y merchaid i gyd o naw yn bora – 'di gollwng plant yn ysgol duda – o'dda ni'n mynd i dre, siopio, dod adra, llnau a ca'l bwyd yn barod a wedyn 'sa ni'n gallu isda. O'dda ni'n isda'n ystod dydd, duda bo' ni'n ga'l panad, isda'n 'rar', plant bach yn chwara' allan a hyn a llall, blow y dyn o'dd y priority. O'dda chdi'n gweld ni gyd yn sbydu tua pedwar o'gloch i ga'l neud yn saff fod tŷ yn lân.

UWCH REOLWRAIG:

Dwi'm y teip i fod yn tŷ, eniwe, 'swn i'n bord stiff, so o'dd rhaid ag o'n i ishio gweithio. A deud y gwir o'dd gweithio y peth gora' i fi, achos o'dd o'r ffor' nesh i ddod dros colli ngŵr ora', am bo' gynno fi 'wbath i neud, chi'n gwbod.

ELLIE:

A wedyn o'dda ni'n ffruo lot adag yna. So o'dda ni nôl ag ymlaen o tŷ mam fi ia. A wedyn . . .

SANDRA:

Ddim fysa'r dyn yn cega'. O'dd y dyn byth yn cega', jysd o'dda chdi'n teimlo dy rôl di i neud o.

ELLIE:

Nesh i endio fyny'n jysd gada'l o a nesh i fynd i women's refuge. O'n i jysd ishio mynd i fan'na so 'sa fo'm yn ffeindio fi ia. A wedyn . . .

UWCH REOLWRAIG:

So, ieee . . . so be' nesh i o'dd gesh i lot o *au pairs* i fyw efo ni. O'dda nw'n grêt. Gesh i un, un 'dud' gesh i a gesh i lot o rei da o dros y byd i gyd, a'r plant yn dysgu bach o Eidaleg, bach o Almaeneg, bach o Ffrangeg . . .

ELLIE:

Nesh i ddod yn ôl ar ôl tua mis achos o'n ishio dod adra, so nesh i ddod adra at mam fi.

UWCH REOLWRAIG:

Ma' lot o ferchaid ofn y frwydr ella ag yn ffeindio – o, mai'n haws i fi ddeud bo' fi ishio bod adra.

ELLIE:

A wedyn esh i'n ôl efo Tom . . . dwi'n meddwl. O, dwi'm yn siŵr.

UWCH REOLWRAIG:

Dwi'n gwylltio weithia', bo' fi'n gweld merchaid yn optio allan.

ELLIE:

A wedyn nesh i meetio Mark wedyn.

UWCH REOLWRAIG:

(*Gwenu'n annwyl*) Ma' nhw'n gada'l y gweddill ohona ni lawr.

ELLIE:

Dwi still madly in love efo Mark ia. A dwi methu dialld pam 'dio cau dod yn d'ôl ia a ella iawn, odda ni'n ffruo ia.

Saib

Efo Mark . . . na'th o redag arola fi ia, am ages a na'tho ni stopio malu cachu a wedyn a'th o i jêl a na'tho ffonio fi pan o'dd o'n jêl, na'th o gyrru llythyr i fi a wedyn ers hynna odda ni efo'n gilydd ia a o'dd hynna tri blwyddyn o'dda ni efo'n gilydd . . . bu' o'n i'n iawn a wedyn nesh i ddechra' smocio lot ia, nesh i colli pwysa, esh i lawr i five stone . . . o'dd o'n gwithio i ffwr' . . . o'dd o'n feedio fo i fi, oedd, achos o'dd o'n dod â fo adra i werthu a petha' oedd so . . . ff . . . 'Dio'm 'di gweld fi'n iawn 'ŵan es ffocin tri mis na. Dwi 'di roi pwysa on a bob dim ia a mae o'n mynd i weld gwahania'th ia bu' . . . dwi'm yn gwbo' be' mae o'n mynd i neud. Fall back in love with me! (*Chwerthin*). 'Swn i 'di gwirioni ddo ia.

Saib

GLENYS:

Yli llun mam yn fa'na. Fatha film star yndi? Na'th hi farw'n thirty 'sdi. Do, do bechod. TB. A chwaer mam yn magu ni. O'dd na'm cure adag yna nagoedd. O'n i ryw saith oed.

ELLIE:

Dwi'n mynd drw' cwrt efo Tom. Yyym . . . mae o'n trio ga'l access. Pan o'n i hefo fo ia o'dd o'n dyrnu fi, so dwi'm ishio fo'n agos ati hi ia . . . (*Jack yn crio*) A mae o, ffoc . . . dickhead 'di o ia, mae o'n bastard manipulative ia. A wedyn . . . ym . . . mae o 'di ffeindio allan, achos ma' gynno fo parental responsibilities geith o fynd i ysgol a nôl school report a ffocin llynia ysgol ia, a nesh i wylltio achos hynna ia. Dwi 'di gneud fo neud promise i cwrt bo' 'dio'm yn ga'l interactio efo Sophie ne' os mai'n amsar chwara 'dio'm yn ga'l mynd yn agos ati ia, a dwi'm ishio hi weld o ia.

SOPHIE:

Mam. Mami (*mumblo*) 'di DVD 'm yn gwithio.

ELLIE:

Iawn, doro fo off a wedyn doro fo nôl on.

SOHPIE:

Na, ti!

ELLIE:

O ma' hon yn gwylltio fi 'sdi. Mae o'n gwylltio fi achos bo' 'na fo ydi dad hi ia, achos dwi'n gweld fo yn'a hi, ia. Loads ia bu' . . . dwi methu neud dim byd na. Pan mae o'n dod iddo fo ia, hogan bach fi 'di ia. 'Im otch pwy 'di'r dad, mae o jysd 'di roi hand idda fi ga'l hi. O'dd hi'n byw yn'a fi am naw mis, a 'ŵan ia, idda fi, sperm donor 'di o ia. Ar ôl y shit mae o 'di roi fi trwadd 'ŵan, a hi ia. Ella bo' hi 'di colli dad ia bu' dwi'n trio neud yn siŵr bo' hi'm yn methu fo at all ia. Dwi'n goro bod yn mam a dad yndw? Dwi 'di deuthi amdano fo ia a dwi 'di deud "Dad Tom na'th neud chdi a dad Mark na'th gwatchiad ar ola chdi", a ma' hi'n deud hynna i powb arall ia. Mai'n glefar ia.

SANDRA:

Gesh i joban pan o'n i'n thirteen, yn caffi yn Hole in the Wall Street, a yn yr ha' dwi'n cofio, o'n i 'di gwithio bob dydd ac ar y dydd Sul gesh i nghyflog – seventy pownd. Ag o'dd hi'n lyfli o ddwrnod, o'dd hi'n gojys o ddwrnod, a 'ma fi adra a 'ma fi at mam 'di ecseitio'n lân, thirteen cofia, "Mum, look what I've had!" Dyma dad yna, a o'dd raid i fi roi hannar o i dad a safio pres y'n hun i ga'l iwnifform i ysgol. Nesh i'm cwyno. Nesh i'm . . . hunna be' o'dda chdi'n neud ti'n gwbo'. Dwi'm yn gwbo' sud o'n i'n teimlo adag yna. Adag, 'ŵan . . . yyym . . . dwi'n casáu o am neu' fi neud hynny.

NON:

Ochor teulu mam o'dd mynd i coleg yn fwy o "waw"! Teulu mam de. A fi 'di'r hynna o'r cefndryd a chyfneitherod o ochor mam 'li, so fi o'dd y cynta i fynd i coleg. Ochor mam. Asu, cefnogol! Ac yn falch ti'n gwbo'd.

ELLIE:

Nesh i neud performing arts yn coleg a o'n i 'di ffocin gwirioni yna. Dwi dal, dwi'n dal yn meddwl dwi ishio neud o eto ia bu' . . y fact dwi'n goro neud y blwyddyn cyfa' eto ia . . . fff . . . gin i'm mynadd neud hynna ia.

HUW:

Yn coleg, dwi'n delio rhan fwya efo myfyrwyr undegchwech oed.

TANYA:

Dwi'n coleg 'ŵan. Hefo ceffyla'. I fynd i ddysgu pobol i reidio. Yndw. Jysd gwaith sgwennu sy'n neud pen fi fewn. Poen ia. 'Swn i'n gwbo' lle i ddechra' fo, 'swn i'n iawn dwi'n meddwl.

SANDRA:

A peth ydi na'th hon ada'l rysgol cyn gneud GCSEs do.

TANYA:

Gynno fi'm GCSEs na.

ELLIE:

Pan ma' plant fi'n tyfu fyny nai ddeuthu nw "Ti'n goro gwithio i fatha mynd i rwla yn bywyd chdi", achos fatha dwi 'di sylwi hynna ia.

HUW:

Ma'r hogyn 'ma 'ŵan. O'dd o hyd yn sôn am "My ma." "My ma". A "My ma" 'di mynd, hefo'i chwaer bach o'dd o'n addoli a hyn a llall, heb iddo fo w'bod.

NON:

'Di ada'l o?

HUW:

O ia. Mi ddownshiodd mewn sioe am y tro cynta rioed efo ni. Dwrnod wedyn, mi o'n i mewn sdafall hefo fo, a mi o'dd o'n aros mewn rhyw dŷ hefo rhyw gymdeithas. Na'th pennaeth y gymdeithas a'i "key worker" o ddŵad ag o'dd y tri ohona ni jysd yn isda 'na a jysd yn deud "Iesu, nes di neud yn dda nithiwr. O'dda chdi'n grêt. Da iawn chdi". O'dd o methu handlo fo. Wir Dduw. A dyma fi'n gofyn, "You ok?" "Yeah. No one's ever . . . nobody's ever been that nice to me".

SANDRA:

Dwi rioed 'di claimio'n hun i fod yn perfect mother. 'Swn i 'di gallu neud lot well, lot well efo nw. Ond 'swn i 'di gallu neud lot waeth hefo nhw.

ELLIE:

O'n i'n ca'l *dipyn* o bres gin mam fi ia. O'dd hi'n rhoi tua twenty quid a petha' i fi ia. Ifanc o'n i ia, be' dwi'n feddwl o'dd hynna mwy achos o'dd Tan, o'dd hi'n mynd trw' shit efo Tan adag yna ia ag o'dd hi jysd yn roi pres idda fi, cadw fi'n ddistaw . . . Bu' o'n i'n cymeryd o 'fyd ag esh i allan i yfad a petha' a ffocin esh i downhill wedyn do bu' . . .

SANDRA:

Dwi'n cofio deud. Ti'n cofio pan odda ni'n mynd allan am fwyd a petha'? "Os 'dy nw ishio 'wbath, be' bynnag ma' plant ni ishio, mi geith nw".

TANYA:

O dyna o'dd o. Dyna dwi'n cofio. Os o'dda ni'n gofyn am 'wbath o'dda ni'm yn ga'l o there and then ond os o'dd 'na penblwydd ne' Dolig yn dod fyny o'dda ni'n ga'l nw adag yna ia. Be' bynnag o'dda ni ishio, o'dda ni'n ga'l o ond o'dda ni bob tro'n . . . fatha, dyddia' yma ia ma', ma' kids fi ia yn jysd ga'l petha' bob wsos fel'a a 'dy nw'm yn appreciatio ddim byd ia. Jysd . . . am bo' fi'n gweld nw there and then a teimlo drostyn nw ia a ishio ga'l nw iddyn nw (*chwerthin*) a bo' nw'n swnian.

ELLIE:

'Swn i 'di gwirioni jysd peidio fod efo kids ia, ar llw, bu' 'swn i'm yn, 'swn i methu newid o dwi'm yn meddwl. Hyn 'di peth gora sy' 'di digwydd i fi. Ca'l plant.

Sŵn sgrechian a chrio yn dod o fyny'r grisiau oddi wrth Sophie.

ELLIE:

Sophie! Paid â mynd â DS i toilet.

Golygfa 3 – Blaenoriaethau

NON:

Os ti'n dewis ca'l plant wel . . . ti'bo, tishio mwynhau a gneud y petha' hefo nhw does.

HUW:

I ni, ma'n bwysig gwario ar y celfyddyda a gwario ar . . .

NON:

Profiada'.

SANDRA:

Dwi'n cofio pan o'dda ni'n mynd. Dau waith y flwyddyn iawn o'n i, o'dda ni'n mynd, yn August o'dda ni'n mynd i Cheshire Oaks. Iawn . . . aaa . . . 'swn i'n gallu gwario mil o bunna'.

ELLIE:

(*Chwerthin*) Dwi'n mynd trw' tua . . . thirty . . . five . . . thirty quid o lectric yr wsos ia. A wedyn . . .

SANDRA:

A wedyn pan na'th Trafford Centre agor o'dda ni'n mynd Dolig a ella 'swn i'n gwario mil . . .

TANYA:

Dwi rioed 'di bod yn un ishio "makes" i'm byd fel'a ia.

JOHN:

Ma' Tan fwy 'tha fi 'li. Fedrai'm diodda'm byd logo na'm byd, 'li – jysd ffwcin . . . du de.

TANYA:

As long as ma' dillad yn edrach yn ddel ac yn ffitio'n ddel o'n i'm yn meindio.

JOHN:

'Sa queen yn dod i fa'ma 'ŵan, "Come and have a pint with me", de. No. Ffwcio'i, de – 'di enw'm byd i fi de, ti'bo.

ELLIE:

A wedyn, hefo shopio ia, dwi 'mond yn ga'l . . . fatha dwi'n mynd allan ar y dy' Mawth achos dwi'n ga'l pres fi ar y dydd Mawth ia, a ga'i petha' jysd i para fi ia at tro nesa' dwi'n ca'l pres. Achos ma' income support fi 'di newid 'ŵan dau wsos so dwi'n ca'l hundred and twenty quid ar y dydd Mawth achos dwi'n ca'l child benefit fi hefyd ia. So ma' hynna 'di gwithio allan yn dda rili achos fedrai neud siop mowr ia. Ga'i shopping, ffycin credit ma' siŵr, baco . . . ffycin . . . a 'mond hynna rili, ma' pres fi gyd yn mynd ar hynna ia. Bob dim. Ne' rwbath i tŷ – shampoos, washing powder. Dwi'n smocio hefyd 'ndw. Bu' . . . pan dwi 'di ca'l joint dwi'n teimlo'n normal 'sdi.

SANDRA:

Ma rhei pobol yn sbiad ar holides bob blwyddyn, ti'n gwbod, hynna 'di be' ma' nw ishio, ma' nw'n safio i ga'l 'i holides, 'da ni rioed 'di neud hynny oherwydd 'di John ddim yn licio mynd i ffwr' i ddim byd. 'Dio'm yn licio tywydd poeth.

NON:

'Da ni'm yn ca'l gwylia'. 'Da ni'm yn teithio. 'Da ni'm 'di ca'l gwylia'. Ers blynyddoedd. 'Mond carafan i Sdeddfod.

ELLIE:

Rhan fwya' o amsar ia, dwi jysd yn aros yn tŷ ia bu' fatha pan dwi'n ca'l pres a 'i allan. Dwi wedi bod yn mynd â nw i play centre a petha' ia, blaw mae o 'di gada'l fi'n siort wedyn ia bu' . . . Yr unig peth sydd am ddim ydi nofio bu' dwi hebdi mynd â hein i nofio. Eto.

Jack yn crio.

ELLIE:

(*Wrth Jack*) What's wrong?

JACK:

Sophie.

ELLIE:

What did she do?

Jack yn crio.

ELLIE:

What did she do?

JACK:

Sophie.

ELLIE:

What did she do? Where's your popo? Paid â gofyn pam dwi'n siarad Susnag hefo fo ia. Mae o'n diall Cymraeg ddo ia. Withia dwi'n siarad Susnag efo fo a mae o'n atab yn dôl yn Gymraeg. (*Chwerthin*).

HUW:

Gafo ni fynd am benwythnos i weld Sioned yn Paris.

NON:

Do. Dyna o'dd y treat tro dwytha'. Dim bythefnos yn nunlla ti'n gwbod.

JOHN:

O'n i ar sixty, sixty a day pan o'n i ar ffags fel'a. So 'na chdi ffocin fifteen quid a day. O'dd hwnna'n mortgage mewn mis oedd. Hundred and fifteen quid a week. Jysd i four hundred and seventy pound a month dydi. 'Na chdi mortgage 'li.

SANDRA:

Mae o 'di mynd ar baco.

JOHN:

Lawr i twenty-one quid a week.

NON:

Gafo ni neud y gegin do.

ELLIE:

Ma' heaters . . . Un heater gynno fi on iawn . . . pan ma' tri, tri heaters yma gynno fi, pan ma' tri ohonyn nw on ia dwi'n mynd trw t'a fifty quid o lectric yr wsos ia, a dwi ishio nw on pan mai'n ffocin oer ia achos . . . o'dd tai 'mond i fod i fyny am twenty years a ma' nw 'di bod i fyny es world war.

JOHN:

Hon 'di ca'l HD TV adra yndi. Ond 'dio da i bygyr all i fi 'li, raid i fi ga'l ffycin sbectol i rolio ffycin ffag. So 'sna'm point i fi ga'l HD nagoes.

TANYA:

Ond na'tho ni brynu hwnna'n rhatach. O'dd o fod yn one thousand two.

JOHN:

Ia, 'dio'm ots os 'dio'n rhatach ne' bidio, 'sna'm point i fi ga'l o nagoes.

TANYA:

Gafo ni o am six hundred quid.

SANDRA:

Ia, nes di'm mynd allan ar bwrpas i brynu hwnna. Na'th teli chi / falu do.

TANYA:

Teli ni na'th torri ia.

SANDRA:

A chwilio am teli oedda nw. Na'tho nw safio i ga'l o.

TANYA:

O'dd y pres gin Martin i . . . brynu fo ia. Dim bod o efo lot o bres ond mae o yn dda yn safio, cadw pres i ochor os o'sa 'wbath yn digwydd. Ond blwyddyn yna na'th teli fynd, na'th washing machine a dishwasher fi fynd.

SANDRA:

Blow 'dy nw 'ebdi prynu dishwasher bo' / fedrith nw neud heb dishwasher 'li.

TANYA:

Jysd washing machine / a teli.

NON:

'Da ni ddim yn gwario ar y tŷ a ti'n gwbo' fatha pobol yn ca'l three pieces newydd 'ma bob pum mlynadd. 'Da ni'n mynd yn hir, hir, hir/ heb brynu carpad.

HUW:

Ia, yndan. Carpedi a ballu. Deud gwir, ma' well gena i wario saithdeg punt ar betrol i fynd i nôl Sioned neu i fynd â'r genod neu i sicrhau fod y genod yn iawn.

NON:

Deud y gwir de. Ia.

HUW:

Ma' bod hefo'n gilydd yn . . .

SANDRA:

Pres ni, basically, hwn (*cyfeirio at baced o sigaréts*) – smôcs, mae o 'di bod yn mynd ar.

As long as bo' gynno ni smôcs a bwyd a gweld gwyneba' hein pan o'dda nw'n llai, yn hapus, o'dda ni'n fodlon.

ELLIE:

Dwi'n cofio un tro na'th advert Nintendo DS ddod ar teli. Dwi erioed 'di gweld gwynab Sophie ia, pen Sophie'n troi ia, mor ffast yn bywyd fi ia. A mynd fel'a ia, "Mam, ga'i hwnna!" O'dd hwnna'n ffyni hwnna ia. Mae o 'di torri 'ŵan. O'dd gynno'i, un gwyn ia. Mae o 'di torri 'ŵan ddo. Bu' mai'n ca'l birthday mis nesa' so dwi'n prynu uuum, Nintendo Wii iddi hi ia. Mai 'di bod yn gofyn amdano fo, gofyn amdano fo ia waeth i fi jysd prynu fo iddi ddim ia?

NON:

Ti jysd yn dewis ar be' ti'n wario. Fedri di'm gwario ar bob dim felly 'da ni'n . . . w'sdi . . . Sgynno ni ddim, dwi'm yn gwbod. Da ni'm 'di gallu safio diawl o ddim naddo, rioed naddo? / (*chwerthin*) Be' 'di pwynt safio a'i ada'l o ar ôl de? Mi yda ni fel'a de.

HUW:

Na.Na.

ELLIE:

Dwi byth yn gwario pres ar fi fy'n hun ia.

SANDRA:

'Da ni rioed 'di gwario yn excessive. Do, ma' John 'di ca'l rhyw gyfloga' eleven, twelve hundred quid . . . a week . . . a ma'r pres 'di mynd, blaw ella . . .

JOHN:

Mwya' ti'n earnio, mwya ti'n wario.

SANDRA:

Ddim bo' chdi'n gwario fo ar petha' gwirion, ella bo' chdi'n deud w'th dy hun iawn . . . ym . . .

JOHN:

Lle ca'l beef nai ga'l stec bob dydd yn lle / beef burger.

ELLIE:

'Na'i ddim prynu ready meals at all ia bu' dwi'm yn cwcio hynna faint o meals achos bo' fi'n byw ar ben fy'n hun a dwi'm yn buta hynna faint ia bu', fatha, i'r kids 'nai brynu dinosaurs, chicken nuggets, chips, beans a jysd petha' fel'a iddyn nw ia. Ag i fi, dwi'n byw ar bacon fi . . . 'mond bechdan bacons dwi'n buta 'sdi, ar llw. A wedyn . . . dwi'm 'di gneud meal . . . do mi nesh i, pryd nesh i fo? Nesh i neud pizza i fi a Jack achos 'mond fi a Jack o'dd yma ia. Hwnna o'dd y meal cynta' dwi 'di cwcio fatha idda fi hefyd ia, dwi hebdi ers hir. Dwi methu ddo achos 'sna'm point na pan na 'mond . . . gedrai'm neud fatha casserole ne' shepherd's pie ne' 'wbath achos eith o jysd i wasd ia a gas gynno fi wasdio bwyd ia (*chwerthin*).

Golygfa 4 – Pres a Dosbarth

NON:

’Sa ti’n dychryn de . . . yyym . . . ar ôl bod . . . ar ôl dod yn ôl ar ôl Dolig, ’sa ti’n dychryn faint o sdwff ma’r plant bach ’ma ’di ga’l. A ti’bo, pobol dosbarth gweithiol a sy’n gweithio’n galad am gyfloga bach ydyn nw. Go-iawn. A ma’ mam a dad yn gweithio ond am gyfloga’ bach. Ond ma’r plant ’ma ’di ca’l bob dim de. Ti’bo odda chdi’n ca’l un peth mawr? Beic. (*Cyfri ar ei bysedd*). A ffôn. Aaa Wii. Aaaa iPod. A wedyn ti’n meddwl, “Dwi’n siŵr bod yr hogyn bach ’ma, ’di fam o’n llnau ella’n rwla” ti’bo? A ma’ hi’n traffarth talu cinio de. Ti’bod, mae o fatha “O god” a mae o’n mynd yn fwy ac yn fwy a ti’n ffeindio gwahanol ffyrdd o ofyn yn glên am bres cinio’n ddyledus a ballu a ma’ nw ar y lein yna a ma’ ’i dad o ’di gwahanu a ma’ ’i dad o’n locksmith ne’ ’wbath felly. Felly do’s na’m cyfloga’ mowr ond dydi’r cyfloga’ chwaith ddim digon isal i’r hogyn bach ’ma ga’l cinio am ddim. A petha’ fel’a sy’n gneu ti’n anodd i bobol sy’ wirioneddol yn trio, yn gweithio, ond bod cyfloga’n isal a wedyn ti’bo ma’r plant y goro dod i’r ysgol a deud (*distaw*) “Na, ’sna’m pres cinio eto heddiw”.

ELLIE:

Dwi’n mynd i Iceland ia a . . . dw’mbo . . . ti’n gwbo’ petha’ punt i gyd? Heina dwi’n prynu bob tro achos dwi ddim yn allu fforddio . . . ma’ bara’n Iceland ia, dau am one fifty yndi? Dwi'm yn prynu dau am one fifty achos fy' . . . gynno fi'm y fifty pee 'na. Mae o'n nyts ia.

SANDRA:

'Da ni 'di bod i llefydd iown, efo pobol sy' 'di ca'l pres, roi engraifft ichdi – ticedi i fynd i watchiad gêm Lerpwl, a o'dda chdi'n mynd am y sit down meal, five course meal 'ma.

JOHN:

Snobs de. Ti'n gwbo', digon o bres gynno nw de.

SANDRA:

Iown, am mis cynt, o'n i'n swp sâl. Be' dwi'n mynd i ga'l i wisgo? Dwi'n mynd i ffitio mewn? Be' dwi'n mynd i ddeud? O'n i'n sâl do'n John? Dwi'n uffernol 'sdi.

JOHN:

A'r ffwcin ddynas 'na ia.

TANYA:

Dwi'n / hollol wahanol ddo ia.

JOHN:

"From the hills", ia. "Sheep shaggers", ia.

TANYA:

Dwi'm / yn poeni.

JOHN:

"I'd rather shag a sheep than a ffocin scouser any ffocin day", medda fi.

SANDRA:

Dyma ni'n ca'l y bwyd. Mynd i watchiad y gêm. Mynd yn ôl 'ŵan i'r drinks 'ma which odda ni'm ishio blow gafo ni'n dragio mewn, a dyma hon yn troi a deud "We're going to Chester Races", meddai. "Oh, you'll have to come, we'll have to get you a nice hat" a na'th hynna roi fi off 'li. No wê bo' fi am fynd . . . Ti'n dalld be' dwi'n feddwl? O'n i methu mynd o fod yn fan hyn yn poeni be' dwi'n mynd i ga'l i wisgo, i fynd i'r bwyd 'ma, i fynd wedyn i Chester Races.

JOHN:

O fan hyn dwi'n dod 'li. Mynd efo r'un boi, i ffycin Octagon . . . naci, ddim Octagon . . . ffycin . . .

SANDRA:

Cofi Roc.

JOHN:

Cofi Roc. Ca'l diod yn fa'na ia. Pen-blwydd chdi o'dd hi ia.

SANDRA:

Yyym . . .

JOHN:

Dolig?

SANDRA:

Naci. Jysd 'di dod i lawr odda nw. Neud gwaith rownd ffor' hyn so na'tho ni gyfarfod nw. Dechra' off yn Black Boy.

JOHN:

Ia.

SANDRA:

A'tho ni rownd wedyn i Cofi Roc do? . . . Aaa . . . yyym . . . o'dda ni yn Cofi Roc ag o'dd hwn yn dod i rownd John 'ŵan.

JOHN:

Ia.

SANDRA:

Hwnna be' o'dda chdi'n mynd i ddeud ia?

JOHN:

Ia. Dod i rownd fi a o'dda nw'n meddwl bo' gynno fi'm pres doedd. So ma' fo'n roi twenty quid i chdi do?

SANDRA:

Do.

JOHN:

A jysd, jysd digwydd gweld nesh i, ffwcin gweld twenty quid. A esh i i'm mhocad de, tynnu twenty quid allan de a ffwcin tân iddo fo – "There's your fucking twenty quid".

Golygfa 5 – Pres Go-iawn

RHEOLWR ARIANNOL:

Darn o bapur 'dio, 'dio'm werth dim byd, waeth ti roi blydi . . . tân neu sigarét iddo fo diawl. Ond ma' aur yne dydi. Aur, ti'bo, the precious metals ti'bo. Ma' aur yn lwmp a 'dio'm yn mynd i le'm byd nachdi?

UWCH REOLWRAIG:

Ar ddiwedd y dydd, y sector breifat sy'n creu cyfoeth.

CHWYLDROADWR:

Dwi'n hen chwyldroadwr o'r chwedega'.

UWCH REOLWRAIG:

Dwi'n fwy cyfforddus yn y sector breifat.

CHWYLDROADWR:

Esh i i Werddon am wsos ag o'dd o reit . . . reit ddifyr, hefo ngehariad i, o'dd Hywel 'i mab hi, Sam 'i mab arall hi a'i mam hi. Pump ohona ni mewn car bach ti'bo. O'dd o'n grêt, oedd, oedd.

RHEOLWR ARIANNOL:

Esh i i ffwr' i ysgol achos o'dd y'n rhieni i ffwr' ti'bo. Ac o'n i'm digon clefar ac o'n i'm awydd mynd i prifysgol so, ti'bo, give . . . ti'bo . . . stocks and shares a crack, de. Wedyn pythefnos ar ôl gada'l ysgol, lawr i Llundan, dros 'y mhen. O'n i rioed 'di bod yn unryw fath o blaen ti'bo. Be' o'n i, seventeen, eighteen ballu ti'bo. 'Y nhad 'di dod drosodd, 'y nhad 'di trefnu, o'dd gynno fo ffrind efo fo ar y môr, a o'dd gynno fo fflat reit yn ganol – dwi'n deutha ti – Tower of London, Trinity Square, Tower Hill Tube station, oce? Reit yn y ganol. Landio'n fan'ne, fflat, nhad yn ysgwyd llaw efo fi . . . aaa . . . "Here you go", ti'bo . . . aaa . . . os dwi'n cofio'n iawn tua can punt o bres, o'n i'm yn gwbo' be' ddiawl o'n i'n neud, ac o'n i'n fa'na'n meddwl, "Shit! What's happened here?" ti'bo?

CHWYLDROADWR:

Fuish i yn Barcelona i gŵyl lafur ryngwladol ti'bo a wedyn . . . cau strydoedd Barcelona i gyd de, gin ti gorymdaith o dega' o filoedd o bobol a be' ma'r Catalwniaid yn gofyn amdano fo ydi, 'da ni ishio annibyniaeth ond o fewn Ewrop sosialaidd ti'bo.

RHEOLWR ARIANNOL:

O'n i ishio mynd i farchnad stock. Ac yn y dyddie yne o'dd y farchnad **yn** farchnad. Ti'bo, un sdafell fowr, fowr, fowr – gymaint mwy na'r buarth 'ma i gyd yn fa'ma oce? Ac fel stondins, market-makers, ac o't ti'n mynd rownd yn checio prishe ac os ti ishio gwerthu ti'n mynd at y boi sy'n cynnig mwya i ti wrth gwrs ti'bo, ac os tishio prynu ti'n mynd at y boi rhata'. A pawb yn gweiddi bo' nw'n prynu a gwerthu.

CHWYLDROADWR:

Codi nghalon i i fod yn ganol dega' o filoedd o bobol o'dd yn meddwl r'un fath de a pan ti'n . . . fa'ma ti'n . . . meddwl bo' chdi'n ryw fath o noryn ar ben dy hun de mewn ffor'.

GWLEIDYDD:

(*Ochenaid*) Yyym . . . 'y mhroblam i falla oedd bo' fi'n fwy parod na rei i . . . i . . . i feddwl am wleidyddiaeth – dwi'n gwbo' fo hynna'n swnio'n ofnadwy o pompous, dwi'n ymddiheuro am hynny ond . . . yyym . . .

UWCH REOLWRAIG:

Ddois i mewn un ris yn is fel Rheolwraig a dwi'n Uwch Reolwraig rŵan ac felly dwi mewn rôl uwch a 'swn i'n deud hefyd fod lefel fy nghyfrifoldeba fi wedi cynyddu.

RHEOLWR ARIANNOL:

Be' 'da ni'n neud ydi buddsoddi'r pres ar ran bobol. O unigolyn cyffredin sy'n meddwl "Duwcs, mae gennai fil o bune". Ti wedyn yn mynd am unigolion cyfoethog sy'n dod i fewn a sy'n deud "Dwi'n mynd i brynu gwerth ugian mil o bunne". Wedyn ti'n mynd i gwmnïe w'rach, sy'n meddwl, "Reit, ma' gynno ni bres . . . ym . . . sy'n isda yn gneud dim byd, 'da ni'm awydd, 'da ni'm ishio fo am dipyn, 'nawn ni fuddsoddi hwn yn y farchnad".

GWLEIDYDD:

O'n i'n aelod o Blaid Cymru fel 'da chi falla'n gwbod. O'dd 'y nhaid yn un o sylfaenwyr Plaid Cymru ag . . . ym . . . yn un un o sylfaenwyr ac yn ymgeisydd i Plaid Cymru yn

mil naw pedwar pump yn . . . ym . . .
etholaeth C'narfon 'lly.

RHEOLWR ARIANNOL:

Dal i fynd fyny'r ysgol oce, i'r institutions oce? Hynny ydi, y pension funds, hwnna 'di'r engraifft mwya' dwi'n meddwl. Ma' gin jysd i pawb dyddia yma pensiwn preifat yn does? Oce? Ma'r managers yn y pension funds 'ma yn ffonio ac yn deud, "Dwi am brynu gwerth miliwn, ne' dwy filiwn o bunne". Withie mae o'n lot mwy. Buyers market yn deud "Shit, ok, yeah, no problem, put it down, c'mon lads, let's go for it!" ti'bo? Oce? A ma' hynny'n digwydd bob dwrnod.

GWLEIDYDD:

Dwi'm yn teimlo fod 'na unrhyw elyniaeth ar y cyfri. Yn wir, i'r gwrthwyneb, ma'r llongyfarchiada' dwi 'di ga'l wrth neud negas yn Dre ar fora Sadwrn a mynd i siop y cigydd ac yn y blaen, wedi bod yn wirioneddol . . . yyym . . . ddifyr 'lly.

RHEOLWR ARIANNOL:

Dwi'n dilyn pris aur bob dydd. That's the . . . fel yr angor mewn ffor' ti'bo.

CHWYLDROADWR:

Mae o'n seiliedig mewn ffor' yn y pen draw ar anghyfartaladd incwm a chyfoeth.

RHEOLWR ARIANNOL:

Esh i ar be' ma' nw'n galw'n "Bearers department". Ti'n gwbo', coins aur,

Kruggens, o South Affrica? A bullion, gold bullion, ddiawl o drwm de ti'bo. O fa'ma ma'r peth yn dechra' rwsud de. Ma'r sdwff mor bwysig ti'n gweld.

UWCH REOLWRAIG:

Ar ddiwedd y dydd 'da chi'n creu arian, i greu cyfoeth i dalu trethi i dalu am wasanaethe sy'n mynd i edrych ar ôl bobol fwy di-freintiedig. So ma' 'na rhyw fath o virtual circle fel petai. So dydi arian ddim yn rwbath ar ben 'i hun. Rŵan, ma'r bobol gora' yn deall hynny.

RHEOLWR ARIANNOL:

Oedd Prydain yn . . . yn y gold standard yn yr hen ddyddia', wedyn o'dd gwerth . . . assets y wlad mewn ffor' mewn blocs o aur o dan y Bank of England, ond ma'r dyddia' yna 'di mynd. Ddaru . . . ym . . . Gordon Brown werthu'r rhan fwya' ohono fo ag ers hynna ma'r pris 'di . . .

CHWYLDROADWR:

Be' mewn gwirionedd sy'n mynd ymlaen ydi . . . Ti'bo ma'r gwlad yn cynhyrchu hyn-a-hyn o gyfoeth ac yn y pen draw ti'bo . . .

RHEOLWR ARIANNOL:

(*Chwerthin*) Ti'm yn sôn am un neu ddau o flocs nagw't, ti'n sôn am billions w'sdi dwyt a ddaru o werthu peth ufflwyn ohono fo am bris bychan ti'bo.

Mae'r Chwyldroadwr yn tynnu llun o gylch sy'n cyfleu rhannu elw (E) a cyflog (C).

CHWYLDROADWR:

Ma' gwlad yn cynhrychu hyn-a-hyn de a ma' hyn-a-hyn yn mynd ar gyfar elw a ma' hyn-a-hyn yn mynd yn y pen draw ar gyfar cyflog a yn y pen draw y frwydr ydi pwy sy'n ca'l pa siâr o'r gacan.

UWCH REOLWRAIG:

Ma rhaid i chi ga'l incwm ne' fedrwch chi'm gneud dim byd.

CHWYLDROADWR:

Rili be' sy'n mynd ymlaen heddiw ydi r'un fath ag erioed o'r blaen ydi bo' cyfalaf ishio mwy o'r gacan de. Be' sy'n digwydd ar hyn o bryd ydi, mewn gwirionadd, ydi lleihau'r rhan sy'n mynd ar gyfloga', y siâr sy'n mynd i ddosbarth gwithiol rili a cynyddu'r siâr sy'n mynd i dosbarth cyfalaf, pobol sydd efo pres ti'bo?

GWLEIDYDD:

Ma' . . . ma' . . . ma' pobol yn sôn – yn enwedig os newch chi wrando ar y bobol ar y chwith, a mae o reit ddoniol gwrando arnyn nhw a deud y gwir – ma' nw'n sôn o hyd am . . . y . . . y myth yma o toriada' dan Margaret Thatcher yn yr wythdega' ond yr hyn gafwyd gan Margaret Thatcher yn yr wythdegau o'dd cynydd mewn gwariant cyhoeddus bob un blwyddyn.

Saib

CHWYLDROADWR:
Un o nodweddion cyfalafia'th ydi bod 'na bob amsar garfan o bobol sy' ar y gwulod.

Golygfa 6 – Pres Ffug

SANDRA:

Am flynyddoedd na'th John drio ca'l credit card oce: no, no, no. Na'th o ddechra' busnas 'i hun, ar ôl chwech mis o ddechra'r busnas yna oedd gynno fo chwech, saith credit card. Oce? Aaa . . . oedd bob un yn limit o five thousand, oedd John?

JOHN:

Oedd. (*Chwerthiniad*)

SANDRA:

So thirty five thousand. So na'th o ddechra' busnas 'ma, ac yn dechra', o, grêt! 'Sna'm raid i ni boeni am ddim byd blow . . . na'tho ni'm byw yn extra . . .

JOHN:

Naddo.

SANDRA:

. . . extravagant. Na'tho ni'm mynd i ffwr', blow "Oh, credit card, credit card", fel hyn. Aaa . . . wedyn na'th John cau'i fusnas i lowr ac o'dd ishio talu hein off 'ŵan oedd. Iown. So dyma ni'n siarad efo rywun – Cadw Mi Gei – do John?

John yn nodio. Chwerthiniad.

SANDRA:

“Pam na newch chi re-mortgage-io?” Brilliant o idea. Brilliant. O, mortgage bach o’dd gynno ni, two hundred and rwbath oedd y mortgage y tŷ. A’th o i fyny i five hundred and rwbath.

John yn chwerthin eto.

NON:

O’dd o’n hawdd de. O’dd pawb yn prynu tŷ. O’dd bancia’n taflu pres.

SANDRA:

Iawn. Dal i fod wedyn. Cadw un credit card, methu talu fo. Ail-mortgage-io.

JOHN:

Eto.

NON:

Codi mortgage, codi mortgage, codi mortgage bob tro ma’ rwbath ishio ’i neud.

SANDRA:

“Why don’t you get a loan?”/ O’dd pobol yn taflu loans . . .

JOHN:

Pwsho pres arna chdi yndi.

RHEOLWR ARIANNOL:

Bancia’ yn, ti’bo, hwch ’di mynd drw’r siop just about yndo. Ti’n cofio Northern Rock pan odde nw’n ciwio tu allan i dryse’n panicio'n llwyr dodden? Meddylia di am y scenario 'se . . . 'se hynna'n digwydd, a bod y Llywodreth ddim 'di dod i fewn . . . Meddylie di 'se cwmnïe y bancie yn y stryd fowr wedi dechre mynd un ar ôl llall . . . be' 'sa pobol yn . . . 'sa 'na uffl . . . 'sa 'na banic mowr byse?

SANDRA:

All of a sudden mortgage yn mynd o two hundred and eighty odd pound i eight hundred and fifty a month. Dal i fod o'dd o'n iown. O'dd John yn gweithio doedd. Un wsos o gyflog yn talu'r mortgage a bilia' erill oedd? Colli job fel'a (*clicio bysedd*) a ma' bob dim 'di mynd do.

Saib

Golygfa 7 – Dim Pres

DYN BUSNES:

O'dd raid mi ada'l tri aelod o staff fynd a wedyn gneud rhan fwya' o'r oria'n hun.

UWCH REOLWRAIG:

Dros deunaw mis ddaru ni golli tri deg pump . . . mil o bobol. Mae o'n broses anodd iawn.

DYN BUSNES:

O'dd o'n anodd achos . . . ti'n gwbo' . . . ma' rei ohonyn nw'n dod o ella teulu . . . ma' hynna'n frustrating achos ma' nw'n ffraeo 'fo chdi ag yn: "Pam fi?"

DYNES BUSNES:

O'dd 'na rei 'di talu blaendal a petha' a dod i mewn a deud "O, dwi 'di colli gwaith". Ti'n teimlo fwy am y bobol, 'na am bo' chdi'n colli'r booking. Ti jysd yn teimlo "O, bechod 'sa gin i bres, swn i'n talu i chi fynd y'n hun"!

UWCH REOLWRAIG:

Be' o'dd yn drist o'dd rhai pobol o'dd yn colli 'u swyddi, do'dda nhw'm 'di gneud dim byd o'i le.

SANDRA:

Ers June 'ŵan dwi'n gwatchiad bob dim, i'r ffaith lle dwi'n gwatchiad pryd ma' tumble dryer yn mynd on, faint 'da ni'n roi gola on . . .

GWLEIDYDD:

Dwi'n credu fod 'na fygythiad i dre fel C'narfon lle ma' 'na lot fawr o'r boblogaeth yn ddibynnol ar fudd-daliada' achos ma' 'na reoli gwariant ar fudd-daliada'n mynd i ddigwydd . . . ym . . .

CHWYLDROADWR:

Smokescreen ydi'r peth dyled. Yn amlwg ma'r ddyled yn broblem ond wrth ganolbwyntio ar y ddyled mae o'n tynnu'n sylw ni oddi ar y gwir broblem sy'n ddyfnach. Symptom o'r clefyd ydi'r ddyled. Y clefyd ydi cyfalafiaeth sy'n ei hanfod yn drefn afiach.

ELLIE:

Dwi'n iawn ia. Gynno fi bob dim . . . Gynno fi lectric. Even ddo dwi ar emergency fi 'ŵan, ond fydd o fel'a am byth ia bu' . . . fedra 'i byth topio lectric fi fyny mwy na fatha . . . twenty-five quid. Gedrai ddim ia.

CHWYLDROADWR:

Lleihau incwm y bobol gyffredin er mwyn adfer a chynyddu lefelau elw sydd tu ôl i'r smokescreen.

ELLIE:

Os fyswn i'n ga'l . . . mynd i lle bynnag ma'r meeting 'ma lle ma' nw'n deud faint ma' pobol ishio i fyw ia, 'swn i'n deuthu nw be' bynnag ma' nw'n roid i bobol 'dio ddim yn ddigon.

CHWYLDROADWR:

Ar ei symla' – i'r pant y rhed y dŵr.

SANDRA:

Ma'r tŷ 'ma'n costio, ma' bob pres 'da ni'n ga'l 'ŵan yn mynd ar y tŷ 'ma, sef ydio gas, electric, dŵr, poll tax. Rhaid i chdi neud hynna.

JOHN:

A mortgage.

SANDRA:

O wel mortgage, 'da ni'm yn talu hwnna ar hyn o bryd am bo' fedra ni'm fforddio neud o.

ELLIE:

Mae o'n gwylltio fi fact bod y government ddim yn roi digon o pres i pobol ia achos 'dy'n nw'm yn deall faint ma' ffocin plant yn buta ia.

SANDRA:

O'n i'n gorfod menthyg toilet rôl gin Tan dwrnod o'blaen. O'dd gin i'm tamad o bres i ga'l toilet rôl . . . a na'th hwnna dorri nghalon i. Bo' fi'n gorfod gofyn wtha hi.

JOHN:

Dim dyna o'dd o naci. Dim dim pres o'dd o naci. Heb brynu fo o'dda ni de.

SANDRA:

Naci, o'dd gynno ni'm pres i ga'l o John.

JOHN:

Ia dwi'n gwbod ond . . . o'dda ni heb brynu o pan o'dd gynno ni bres nago'ddan.

SANDRA:

Ia, ia.

JOHN:

So rhedag allan na'tho ni de.

SANDRA:

Ia rhedag allan na'tho ni, ia.

JOHN:

Dim bo' gin ti'm pres i brynu o jysd bo' chdi'm 'di planio i brynu fo de.

SANDRA:

Ma'n torri nghalon i mynd i kitchen withia ag agor fridge. A dwi'n deutha fi'n hyn – iawn gynno fi fenyn yna, gynno fi sôs, gynno fi jam yna.

JOHN:

Ham.

SANDRA:

A rioed 'di bod yn y sefyllfa yna ia. Erioed 'di bod, ti'n gwbo'?

ELLIE:

(*Sbio ar y post*) Dwi'm yn gwbo' be' 'di hwnna. Bill ma' siŵr bu' . . . fatha . . . di . . . os dwi'm yn gallu talu fo, dwi'm yn gallu talu fo na? Dwi'm yn even gwbo', ffocin, pam ti'n goro ffocin talu am dŵr! Achos ddylsa dŵr fod am ddim ia. TV licence cont, c'laen, 'sa'm byd ar y teli i chdi ga'l talu amdano fo!

SANDRA:

Nesh i rioed feddwl 'swn i nôl yn sefyllfa yma ddo ia, a fi'n forty-five ia, nesh i rioed feddwl.

ELLIE:

Gesh i bailiff yma dwrnod o'blaen ia. Dwi yn stryglo dipyn ia. Bu' . . .

JOHN:

Os ei di fridge 'ŵan de a sbio de – "Arghh fuckin, 'sna'm byd yna i fi ga'l". 'Sna 'mond choice o ham sandwich ne' sandwich jam ne 'wbath fel'a. Ne' ham a caws. Wedyn lle o'blaen o'dda chdi'n mynd yna de a "Ffwcin be' ga'i?"

SANDRA:

Be' ga'i ia! (*Chwerthin*).

JOHN:

Ti'n mynd fel'a "Be' ga'i?"! O'dd na ham sandwich, chicken, ffocin llwyth o betha'.

SANDRA:

Neith o'm drwg iddo fo – neu, ti'n gwbo' be' dwi'n feddwl!

Golygfa 8 – Breuddwydion

ELLIE:

Gynno fi llynia fi ia. Llynia ia, heina sy' ar Facebook ia. Achos, dwi ia . . . dw'mbo . . . o'n ishio neud fy'n hun teimlo'n well ia . . . two . . . two grand ia. Dwi'm 'di talu nhw.

CHWYLDROADWR:

Ti'n mynd i siopa 'ŵan de a ti'n ffeindio dy hun mewn ciw, yn sefyll mewn ciw am hydion tra ma' rhywun wrthi'n ca'l w'sdi ryw Euro Lottery ac yn y blaen de a w'sdi ma'r holl syniad . . . fatha'r American dream ydio de.

GLENYS:

Dilwyn 'shio mynd i weld ffwtbol, "O paid â mynd, noson oer, tyd efo fi i bingo", medda fi a dyma fo'n gweiddi . . . ym . . . regional prize ga'th o, three thousand fi . . . eight hundred ne' 'wbath fel'a. Ia. O'dda ni ishio fo 'fyd, cyn Dolig! (*Chwerthin*). Bechod, a'i fam o'n dlawd w'sdi, so na'tho ni brynu un o'r cadeiria' crand 'na iddi 'sdi achos o'dd hi'n hen ia. Tua three hundred pound am gadar lyfli iddi, achos o'dd gynno'i cushions ar ben cushions yn gadar, bechod, a dynas bach neis 'sdi. Ac Anti Doris, pres i Anti Doris yn fa'ma, "Dwi'm ishio fo 'sdi del, cad ti nw". (*Chwerthin*). Dynas bach neis 'sdi. Ffeind. O'dd hi'n byw yn fa'ma. Dod i aros yma un Dolig a na'th hi aros thirty-six years! (*Chwerthin*).

CHWYLDROADWR:
Ond w'sdi 'chydig o filoedd o bobol sy'n mynd i fod yn millionaires de?

GLENYS:
'Da ni 'di ca'l dau millionaire yma. Do.

ELLIE:
Even ddo dwi rioed 'di ga'l million ia dwi still . . .

SANDRA:
'Sa well gin i ga'l seven million.

ELLIE:
'Sa'r million 'na'n mynd bysa?

DILWYN:
Gafo ni wadd i priodas un.

GLENYS:
Un millionaire do. Ond dwi'm yn licio fflio.

RHEOLWR ARIANNOL:
Reit, nos Fercher dwi'n ennill five million quid. Ond dwi'm yn teimlo'n dda bore dydd Iau, mynd at doctor a ma' gynno ti blydi cancer . . . So– what would you prefer, five million quid or be healthy? Dwi'm yn gwbo', dwi'm yn gwbo', dwi'm yn gwbo'.

DILWYN:
Dwi'n licio aeroplanes.

RHEOLWR ARIANNOL:

Cofia . . . yyy . . . dwi’n meddwl fod hi’n bwysig bod yn gyfforddus, bwysig bod yn hapus, ma’n bwysig bod yn iach yn dydi a ma’n bwysig hefyd bo’ chdi’n gneud rhywbeth ti’n hoffi neud yndi.

TANYA:

Dwi’n meddwl ella ga’i job gynno instructor fi . . .

ELLIE:

Dream fi o’dd downshio.

TANYA:

. . . am bod fi . . . fatha ma’ hi’n deud ma’ fi a Siôn, boi arall sy’n neud stage one efo fi, ’da ni’n . . . fatha . . . rili da yn neud o.

ELLIE: Rwbath i neud efo dwnshio. ’Swn i ’di gwirioni ia. ’Swn i wedi ’sdi.

TANYA:

’Da ni bob tro’n fatha . . . ’da ni’m yn methu coleg, ’da ni’n rili fatha hard-working ia.

ELLIE:

’Swn i’n ga’l y chance, ’swn i’n agor lle downshio bach. ’Swn i’n ga’l genod bach i fewn, a fatha o’n i’n neud yn youth club, entro nw mewn i competitions a petha’ ia ond . . . hefo criminal record . . . although bo’ fi hebdi bod mewn trwbwl ers ages . . . a dwi’m yn gwbod os faswn i’n gallu gneud hynna heb qualifications.

RHEOLWR ARIANNOL:
Be' 'di'r pwysica'?

ELLIE:
O'n i'n dwnshio o'blaen a petha' ia ond . . . dw'mbo.

RHEOLWR ARIANNOL:
Oce, ma' pres yn help dydi, w'rach, oce, w'rach fod o'n helpu neud chdi'n hapus yndi dwa'? Ma' hynna'n uffar o blydi . . . yyym . . . dwi'm yn gwbo'.

ELLIE:
Dwi'm yn gwbo' ia.

TANYA:
Lle 'sa chdi'n neud o?

ELLIE:
Yn y capal 'na ia.

TANYA:
Tria i weld os fedri di ga'l cwrs i fatha neud o adra, dros internet.

ELLIE:
Dwishio pashio test fi ddo ia.

TANYA:
Ti'm yn goro mynd i / coleg nagw't.

ELLIE:
Ma'n boring hwnna ddo 'sdi.

TANYA:

Ella 'sa chdi'n gallu gneud cwrs fatha efo plant adra.

ELLIE:

Gawn ni weld ia.

ACT 2

Golygfa 9 – Bodau Dynol Yda Ni, Nid Ystrydebau

Mae Sandra a Tanya yn eistedd mewn carafan. Daw Ellie i mewn.

ELLIE:
Iawn, Mam?!

SANDRA:
Haiaaa.

Plant Tanya yn gweiddi mewn cyffro. Un o'r plant yn crio.

ELLIE:
Mam, gynno chi jocled?

SANDRA:
Eh?

ELLIE:
Gynno chi jocled?

SANDRA:
Dw'mbo del.

TANYA:
Ti'n iawn?

ELLIE:
Mmm.

SANDRA:

(*Wrth y plentyn sy'n crio*) Ti ishio sws 'y ngchariad i? Be' sy'? (*Wrth y plant*) Iawn ewch chi allan am funud.

TANYA:

Hooligans allan.

SANDRA:

(*Wrth y plant tu allan*) Hei, hei, law-yr, lawr!

TANYA:

Paid! Dwi'n mynd i dagu'r hogyn 'ma.

ELLIE:

Dwi'n gwirioni dod i fa'ma, sbia cypyrdda'.

Cypyrddau yn llawn bwyd.

SANDRA:

Tan, 'nei di neud panad del? Gweld bo' chi gyd yn dod yma ia, dwyn 'y mwyd i.

Plentyn Tania yn dod i mewn.

TANYA:

(*Hefo siocled yn ei cheg*) Allan.

Tanya yn gneud te.

TANYA:

Ga'i un o heina?

SANDRA:

(*Ochenaid*) Cei, del.

TANYA:

Ww, diolch.

SANDRA:

Gynno chi'm bwyd yn tŷ ne' 'wbath?

TANYA:

(*Chwerthin*) Na.

ELLIE:

(*Chwerthin*) Nagoes.

SANDRA:

Ddo'th John â beef adra heddiw. "Ti am gwcio hwnna?" medda fo 'tha fi, "Nadw" medda fi, "dwi'n llnau heddiw".

ELLIE:

'Da chi ishio i fi hoovero hwn yn sydyn?

SANDRA:

Na, mae'n iawn, gad o i un ochor.

TANYA:

Cai yn iown efo chdi heno yndi?

ELLIE:

Oooooooo, eh?!

TANYA:

Dwi'n coleg fory.

ELLIE:

(*Ochenaid*) Flippin' hell.

Saib

ELLIE:

(*Wrth Sandra*) Pam 'da chi methu neud?

SANDRA:

Dwi'n gwi/thio!

ELLIE:

Achos 'da chi'n gwithio?!

Saib

ELLIE:

Fydd raid iddo fo fod fydd.

SANDRA:

Pam? / Be' sy'?

TANYA:

O'n i'n meddwl bo' chdi 'di agreeio 'fo fi. Bo' chdi . . .

ELLIE:

Do, bu' nesh i'm agreeio i / bob nos Sul.

TANYA:

Bob nos Sul, do.

ELLIE:

Naddo. 'Dio'm yn ffyni iawn? / Dwi mewn poen iawn.

TANYA:

Pam, be' 'di plania chdi?

ELLIE:

Dwi jysd mewn / poen hefo cefn fi.

SANDRA:

Be' sy'n matar? Be' ti 'di / neud darlin'?

ELLIE:

Dim / byd.

TANYA:

Gormod o sex.

Tanya a Sandra yn chwerthin.

ELLIE:

Paid achos mae o'n brifo ia. O, gynno fi'm mynadd 'sdi.

TANYA:

Tishio fi gymyd kids chdi nos Wenar?

SANDRA:

Ti yn in / any case.

TANYA:

Tishio fi gymyd kids chdi / nos Wenar?

SANDRA:

Paid â dechra', ti 'di gaddo i hi.

TANYA:

Na'th hi gaddo i fi am bob nos Sul 'fyd.

ELLIE:

Naddo.

SANDRA:

Ym . . . nes di addo, Ellie.

ELLIE:

Naddo nesh i ddim.

TANYA:

Do nes di.

ELLIE:

Naddo nesh i ddim! Wel even os nesh i dwi'n cymy'd o'n dôl.

TANYA:

'Nau o. Cansla plania chdi nos Wenar ta ia.

ELLIE:

Ga'i ffag plis?

SANDRA:

Ma' nw . . . dwi'm yn gwbo' lle ma' nw . . . ma' nw fan hyn.

Saib

SANDRA:

O'n i'n neud y list yn gwaith hefo'r pobol 'ma o'dd yn dod fewn. Lords a Ladies a ryw Dames a the Right Honourables ag o'n i'n meddwl w'th 'y'n hun, "Oh, for fuck sakes", medda fi, "dwi'n gobeithio fyddai'm yma pan ma' nw'n dod" ti'n gwbo'. 'Dio'm ots pa mor la-di-da w't ti ma' nw'n cachu fatha ni 'ndi.

Saib

SANDRA:

Mae o yn roid ryw fath o gomplex i chdi, ddo de. Ti'n teimlo fatha bo' chdi o dan society. Mae o'n jysd . . . Ti'n teimlo hynna withia pan ti allan?

ELLIE:

Be'?

SANDRA:

Pan ti'n rhegi a petha'?

Saib

TANYA:

(*Wrth Ellie*) Be' sy?

ELLIE:

(*Chwerthin*) Cau dy geg. Ti'n neud fi'n sâl 'sdi.

TANYA:

Cau dy geg.

ELLIE:

Siriys.

SANDRA:

(*Wrth Tanya*) Dos i ddeud w'th dad bo' Ellie yma.

John yn dod i mewn.

JOHN:

Iown?

John yn gneud panad i'w hun.

SANDRA:

Tanya isda'n fa'ma, fy' 'na fwy o le wedyn.

TANYA:

Dwi'n neud hi'n sâl.

SANDRA:

Eh? Ti'n neud hi'n sâl efo be'?

TANYA:

Dyna udodd hi. (*Chwerthin*). Dwi'n neud hi'n sâl.

John yn dod at y bwrdd.

JOHN:

'Da chi gyd yn neud fi'n sâl. Mynd â fi i'n ffwcin medd.

Saib

SANDRA:

Ti'n teimlo hynna withia?

ELLIE:

Be'?

SANDRA:

Fatha bo' chdi o dan society, pan ti'n rhegi a petha'?

ELLIE:

Dw'mbo.

UWCH REOLWRAIG:
Ma' 'na ddiffyg dealltwriaeth rhywsut a dwi'm cweit yn siŵr lle mae o 'di cychwyn.

ENTREPRENEUR:
Dydi lot o'r bobol ifanc 'ma, ma' nw'n mynd allan o'r ysgol, dydyn nw ddim yn deall . . . ym . . . sud i gyllido, sud i wario pres mewn wythnos felly de. Mae o mor basic â hynny.

JOHN:
Ma' plant ifanc lot mwy chiclyd 'ŵan yndi.

TANYA:
Ia, ond deud hynna hefyd, ma' 'na bobol hefyd, hynach, sy'n meddwl bo' nw'n well na pobol ifanc hefyd ia. Ma' 'na rei pobol yn meddwl bo' nw'n well na chi so ma' nw'n jysd . . .

SANDRA:
Sbio lawr arna chdi mewn ffor'.

UWCH REOLWRAIG:
Ddim yn gwbod sud i gynnal sgwrs, sud i gyflwyno, sud i sefyll fyny'n gyhoeddus a siarad yn gyhoeddus. Pobol ddim yn deall hynny, pobol ddim yn gwbo' sud i siarad ar y ffôn yn iawn . . . ym . . . pobol ddim yn gwbod sud i wisgo! Ddim yn deall os o's gynno chi job sydd yn dechra' am naw, 'da chi'n dechra' am naw. 'Da chi'm yn deud "Dwi'n troi fyny am ddeg achos bo' fi 'di blino", na, 'da chi'n dechra' am naw.

NON:

Sgilia' de.

Saib

ENTREPRENEUR:

Gin ti'r ail, trydydd a dwi'n siŵr falle erbyn hyn y pedwerydd genhedleth sydd ddim yn gwbod be' 'di gwaith felly!

UWCH REOLWRAIG:

Dwi ddim yn gwbod be' 'di'r atab yn yr achos sgilia. Ma' 'na . . . ma' 'na sialens enfawr.

ENTREPRENEUR:

Dwi'n meddwl fod o'n beth da iawn, ma' nw'n dysgu mwy o busnes ag ati mewn ysgolion 'ŵan de a ma' hwnna'n beth da.

Saib

SANDRA:

. . . Fydd Bailiffs yn mynd yna 'ŵan. I newid cloeua'.

Tanio sigarét.

UWCH REOLWRAIG:

Ma' nw'n styc.

Saib

SANDRA:

(*Wrth Ellie am Tanya*) Na'th hon ddeutha Mam, o'n i methu deutha hi. Ooo, o'n i methu deutha hi, na. O, o'n i'n ypset. Teimlo dwi, gafo ni'n bwlio fewn i brynu fo which o'n i ddim ishio brynu fo, iawn. A noson gynta' na'tho ni symud fewn nesh i ista'n gwaelod cria . . . yyym . . . gwaelod grisia'n beichio crio. Nesh i beichio crio. O'n i'n gwbo' bo' fi 'di gneud y mistêc mwya' mywyd i.

Saib

Sophie'n trio tynnu sylw Sandra.

TANYA:
Sophie, 'da ni'n siarad.

SANDRA:
Ia cariad?

SOPHIE:
Ma' carafan yn best i tŷ ti.

SANDRA:
Ma' carafan fi'n be'?

SOPHIE:
Yn best i tŷ ti.

SANDRA:
'Dio'n well na tŷ fi?! Ieeeeeei! Thank you darlin'. (*Sws*). 'Dio hebdi brifo fi o gwbwl, yr unig beth ydi bo' fi 'di golli fo . . . yn ôl i'r pobol mortgage.

ENTREPRENEUR:

Dwi'm yn meddwl fod y Toriaid yn gwbod be' ydi realiti bywyd. Ma' 'na blant sy'n dlawd a 'da ni ddim wedi . . .

GWLEIDYDD:

Dydi'r mooodd ddim yna, dydi'r arian ddim yna a ma' ishio i bobol ddechra' gofyn eto "Be' fedra ni neud drosta ni'n hunan?"

SANDRA:

Ddoe ia, o'n i'n crio ddoe ia, ooo, o'n i'n crio ddoe. Dwi 'di crio bob dydd ers chwech wsos. Bob dydd ers chwech wsos. Do Tanya? Heddiw, dwi'n wahanol yli, dwi'n gweld bo' na 'wbath yn gallu digwydd o heddiw 'mlaen. (*Dagrau yn ei llygaid hi*).

TANYA:

Peidiwch â dechra' 'ŵan.

SANDRA:

Dydw i ddim, dwi'n iawn heddiw. Adegi gora' gafo' ni ydi yn tŷ cownsil. O'dda ni'm yn poeni am ddim byd, na John?

JOHN:

Na.

GLENYS:

Rhaid fi ddeud y stori 'ma wrtha chdi. O'n i'n y bus station ryw fythefnos yn ôl a dyma ryw hogan, reit dew, golwg rough arni a ddo'th hi strêt ata fi a dechra' siarad. "Haia" meddai 'tha fi. "O haia". O'n i'm yn nabod hi fwy na het ti'bo. "O dwi'n mynd i Pwllheli 'ŵan, newydd fod yn Sir Fôn", meddai (*sibrwd*) "agor cyrtans, smalio bo' fi'n byw 'na". Gynno'i ddau tŷ cownsil 'li, rentio un allan, dyna di'r sgams. A deud y gwir o'n i'n meddwl bo' 'na 'wbath yn bod yn yr hogan 'ma ia ond o'dd hi'n gallach na fi!

SANDRA:

Pan na'tho ni symud o Sgubs na'th problema ni ddechra' efo hon 'li.

TANYA:

'Mond dechra' smocio nesh i.

SANDRA:

Oedd Ellie yn wahanol dwi'n me'l achos pan nes di wedyn ddechra' mynd yn well, na'th hon fynd yn ddrwg a dwi dal i ddeud, naci dwi dal i ddeud pan oedd hon yn ddrwg yn fourteen, o'dda chdi'n ddeuddag oddat a o'na byth 'm byd efo Ellie, byth i'm byd. A meddwl dwi, o'dda ni a Mam a hyn i gyd yn deud, "Oh Ellie's good, Ellie's fine, Ellie's OK". O'dd hon yn ga'l y sylw i gyd 'li. A wedyn pan na'th o ddechra' bo' hon yn ga'l y sylw, na'th hon ddechra' wedyn 'li, a meddwl dwi achos . . .

JOHN:

O'dda nw'n cwffio hefo'i gilydd un dwrnod a roish i uffar o swadan iddyn nw ar 'i tina'.

TANYA:

Do, tin piws.

JOHN:

A . . . nesh i hitio nw mor galad o'dd y'n llaw i'n brifo a ers hynna na'th hynna ffwcin ddychryn fi faint o galad fedrai ffwcin fod.

Saib

SANDRA:

Ches di rioed dy bwshio allan naddo, Els? Ta ti'n meddwl bo' chdi wedi?

ELLIE:

(*Distaw*) Dw'mbo.

JOHN:

Nesh i daflyd hi allan do.

SANDRA:

(*Wrth Ellie*) O'dda chdi yn fwy streetwise yn fourteen na o'n i pan o'n i'n nineteen.

ELLIE:

Achos o'n i 'di gorfod tyfu fyny . . . tyfu fyny . . . yn fast doedd.

SANDRA:

'Sdi'm rhaid i chdi tyf . . . tyfu fyny'n fast nagoedd Els, chdi na'th dy hun ia?

JOHN:

Nesh i ada'l adra pan o'n i'n sixteen a 'sa neb 'di ffwcin helpu fi. Mynd i jêl, ffwcin, cyn mynd i jêl, mynd i dwrw a bob dim fel'a, neb 'di ffwcin bothered . . . dwi 'di neud bob dim y'n hun.

SANDRA:

Do, ti 'di edrych ar ôl dy hun do?

CHWYLDROADWR:

Ma' cyfrifoldab am newid petha' yn cychwyn wrth dy draed dy hun mewn ffor' dydi. "Ddim bai chi 'dio, bai fi 'dio" de? Ma' angan dechra'n fa'na.

HUW:

Bai . . .

NON:

Ar y rhieni ma'r bai ti'n gweld.

GLENYS:

Computers de. Ma' plant yn dod i ysgol 'di blino.

NON:

Dwi yn deud ma' 'na fai mawr ar yr addysg gafodd y bobol ifanc yna pan o'dda nw'n tyfu fyny. Yn yr Uwchradd. Pan oedd'na jysd y pwyslais ar yr academaidd a dim byd arall ac os o'dda chdi'm yn ddalld o, tyff.

HUW:

Ma' 'na lot o daflu bai ar bobol erill.

SANDRA:

Dwi rioed 'di troi rownd, dwishio llawar gwaith, a deud wrtho fo "Bai chdi ydio bo' ni yn y situation yma" blow deud hynna / wedyn ia . . .

JOHN:

Y tŷ o'dd y broblam.

SANDRA:

Hwnna oedd y broblam.

JOHN:

Fan'na o'dd pres ni'n mynd i gyd.

SANDRA:

Fyddai'n meddwl withia, ti'bo, bai ni. Bai ni'n hunan 'dio.

GWLEIDYDD:

'Da ni 'di creu . . . salwch ym Mhrydain ers yr wythdega' a'r nawdega', a'r salwch yna ydi'r syniad 'na, 'na'r wladwriaeth sy' fod i neud bob dim a weithia ma' ishio i bobol ofyn i nhw'u hunan "Wel, be' fedra' i neud?"

JOHN:

(*Wrth Tanya*) Dwi'm yn gwbo' pam nei di'm ffwcin . . . apply-io am dole.

TANYA:

Ga'i / ddim.

JOHN:

Deud bo' chdi mewn carafan yn rwla!

TANYA:

Ga'i ddi[m] . . . na, fedrai'm deud clwydda. / Be' 'swn i'n ga'l y'n dal?

SANDRA:
Ma'i 'di trio ca'l grant coleg a bob dim.

TANYA:
Ma' Martin yn ca'l gormod o gyflog.

SANDRA:
'Sa chdi'n deud bo' chi 'di . . . a fo yn sblitio.

TANYA:
'Swn i methu 'sdi.

CHWYLDROADWR:
Smokescreen. Dyna sydd tu ôl i gynyddu diweithdra, torri budd-daliadau, llafur "hyblyg", pwyslais ar employability yn hytrach na employment, "rhyddid global" cyfalaf i fynd lle y mynn yn y byd – sef i ble bynnag y neith fwy o elw – sef lle ma' costau yn llai – sef pobol yn barod i weithio am lai.

GWLEIDYDD:
Gesh i fy ethol yn gynghorydd yn Sgubor Goch yn un naw naw un, o'n i'n ifanc a newydd ddod o'r coleg ag o'n i fatha . . . eitha' radical a . . . a sosialaidd fy syniadau.

JOHN:
(*Wrth Ellie*) Ti'n ca'l mwy o bres na ni.

TANYA:
Eh?

ELLIE:
Dwi ddim.

JOHN:

Ti yn.

ELLIE:

Ella.

JOHN:

Ti'n ca'l pres i chdi a pres . . . Sophie a pres Cai . . . yyy – Jack. A dy rent!

SANDRA:

Gesh i gyflog dydd Gwenar a mae o 'di mynd i gyd ar negas.

ELLIE:

Two hundred and twenny quid bob dau wsos dwi'n ga'l. Na, ia, bob dau wsos, ia.

JOHN:

Hundred and ten pound a week.

ELLIE:

Na . . . yyy . . . dwi'n ga'l hundred . . . hundred and twenty un wsos a two hundred and twenty wsos wedyn.

JOHN:

Sooo, hundred and seventy pound a week ti'n ga'l rili de.

ELLIE:

Yyy . . . ia.

JOHN:

Plus rent.

ELLIE:

Dwi'm yn talu rent nadw.

JOHN:

Yn union.

ELLIE:

Hundred and seventy quid.

JOHN:

A two hundred and forty pres rent.

ELLIE:

Yyy . . . thirty quid child benefit, ninety quid tax credit.

JOHN:

So two forty. Two hundred and seventy. Three hundred and sixty.

ELLIE:

Ia.

JOHN:

Ti'n gweld, pan ti'n cyfri bob dim ti'n ga'l am ddim de, lle 'da ni'n gorfod talu amdanyn nw.

ELLIE:

Ia bu' . . .

JOHN:

Ma' pobol yn gwithio am five grand a year.

SANDRA:

John, nei di ddechra' neud panad?

GWLEIDYDD:

A gesh i ddadrithiad llwyr achos . . . ym . . . yn y cyfnod hwnnw ddoish i i'r casgliad yn gwbwl, gwbwl bendant fod y wladwriaeth les, honedig wych, yn yyy . . . yn, yn . . . fwy o broblam mewn lle fatha Sgubor Goch nag oedd o o atab 'lly ynde.

JOHN:

Job mis nesa. Ynde? Dyna 'di peth mwya' pwysig.

TANYA:

Take every day as it comes ia.

SANDRA:

Fedra ni'm neud mwy na hynna na?

HUW:

Tan yn ddiweddar, wel, tan y llywodreth yma a'r llywodreth dwytha'. Hefyd, mi o'dd 'na sicrwydd de. O'dda chdi'n gwbod de.

NON:

Ma' 'na bwysa yng nghefn dy feddwl di'n meddwl, "O ia, fydd dy bensiwn di'n iawn." Wel, ella fydd o ddim.

Saib

ELLIE:

Dwi ofn rhag ofn i . . . ym . . . y byd dod i diwadd yn two / thousand twelve.

TANYA:

Paid â malu / cachu.

ELLIE:

Yndw, shit scared. / Dwi ofn marw fatha ma' 'i ia.

TANYA:

Pam? Nei di'm teimlo i'm byd na, fyddi di 'di marw byddi.

ELLIE:

Ia, blow 'sa'm byd wedyn na.

TANYA:

So?

JOHN:

Dwi'm yn ofn ddim byd dwi'm / yn meddwl. Dwi rhy easy-going.

ELLIE:

Dwi yn.

JOHN:

Os 'di rwbath yn digwydd mae on digwydd a 'na fo.

TANYA:

Ia, fel'a dwi.

JOHN:

Bring it on, dwi'n ddeud. The sooner the better.

ELLIE:

Gutted ddo ia.

JOHN:

Gutted? / Be' 'sa chdi'n neud? 'Sa chdi'n surveivio diwadd y byd be' 'sa chdi'n neud?

SANDRA:

Fear fi ydi 'swn i'n ca'l phone call i ddeud bo' 'wbath 'di digwydd i hein neu plant nw. Ia, hwnna / 'di fear fi 'li. Dwi'm yn gwbo' be' 'swn i'n neu'.

ELLIE:

Be' 'da chi'n feddwl?

JOHN:

'Sa chdi'n surveiv-io fo. 'Sa fo'n diwadd / y byd fory, be' nei di neud?

SANDRA:

Dwi'm yn gwbo' sud 'swn i'n cope-io 'li.

ELLIE:

Os 'di'n diwadd y byd fory? Ddim byd na, os di'n diwadd y byd.

SANDRA:

Hwnna 'di fear fwya fi.

JOHN:

Be'?

SANDRA:

Ca'l phone call yn deud bo' 'na 'wbath 'di digwydd i hein neu plant bach nw.

JOHN:

O ella ’fyd ia.

Saib

JOHN:

Ond os ’dio’n digwydd ti’n deal-io efo fo dw’t.

SANDRA:

Yndw’t, blow y fear fwya gynno fi . . . ydi hynny.

JOHN:

Fedri di’m byw ’fo fear yna nadri?

SANDRA:

Ia blow . . .

JOHN:

Ma’ ’na rwbath yn digwydd i bowb does?

SANDRA:

Hei gesh i bresant gynno rywun yn gwaith / dwrnod o’blaen.

TANYA:

O ffwcin ’el.

Sandra yn dangos ‘charm’ siâp angel yn hongian oddi ar ei ffôn symudol.

ELLIE:

Be’?

SANDRA:

Ti'n licio petha' . . . fatha . . . guardian angels?

ELLIE:

Y ffôn dwishio.

SANDRA:

Ti'm yn ga'l y ffôn.

Saib

HUW:

Fedrai feddwl am un hogan o dre 'ma 'ŵan. Dawnswraig talentog. Ond, pan ti'n dŵad i ddiwedd y ddwy flynadd i neud y BTEC sydd gyfwerth â dwy lefel A a 'sai'm 'di gneud fel'a yn Syr Hugh oherwydd 'i chefndir hi . . . oherwydd 'i hagwedd hi tuag at r'ysgol i ddechra'. A ga'th yr hogan 'ma . . . fedrai'm deud bo' ti 'di neud o'n fwriadol ond mi na'th hi . . . o'dd hi'n disgwl. Ag o'dd raid iddi roi'r gora' iddi. O fewn 'chydig o fis . . . o'dd hi o fewn cyrradd i orffan.

ELLIE:

Gynno chi lefrith sbâr yn fa'ma?

TANYA:

Be'?

ELLIE:

Llefrith. Dwishio llefrith. Gynno chdi napi oes?

TANYA:

Oes.

SANDRA:

Gynno chdi bres?

ELLIE:

Nagoes.

SANDRA:

Roi bres i chdi os tishio llefrith.

TANYA

’Da chishio roi pres i fi ’fyd?

SANDRA:

Be’ ti ishio?

ELLIE:

Dwi ishio un o tablets / chi.

SANDRA:

Nachei.

ELLIE:

Ffycin, dwi methu . . .

Sandra yn rhoi slap i Ellie.

SANDRA:

Paid â rhegi.

Tanya yn gadael.

SANDRA:

Ma' hynna'n gwylltio fi ia. Mae o'n ffwcin gwylltio fi.

ELLIE:

Ma' cefn fi'n lladd mam, gim i un o tablets 'na plis?

SANDRA:

Pa dablets, del? Y painkillers?

ELLIE:

Na, anti-depressants chi.

SANDRA:

Be' ma' heina'n mynd i neud i chdi?

ELLIE:

Ella neith nw neud rwbath idda fi.

SANDRA:

Fatha be' Ellie?

ELLIE:

Ga'i jysd cymeryd dau ohonyn nw? Plis? Plis?

SANDRA:

Ffwcin hell.

ELLIE:

Dwi mewn poen 'chi. Seriously.

SANDRA:

'Di anti-depressants ddim yn mynd i neud dim byd i dy . . . i boen nadi.

ELLIE:

Ia, na, bu' neith o neud . . . le ma' nw? Fa'ma?

Ellie yn cymryd dau o'r tabledi.

CHWYLDROADWR:

Dagra' hyn i gyd ydi do's 'na neb yn gofyn y cwestiyna gwaelodol w'sdi – pam yn y lle cynta bo' pobol mor, wedi eu ymddieithrio, alienated mewn ffor', ynde . . . rai' ti ofyn y cwestiwn sylfaenol w'sdi . . . pam bod hein mor . . . wedi eu ymddieithrio gymint mewn ffor' de.

NON:

'Di ddim mor ofnadwy arna ni na?

HUW:

Na. 'Da ni'n ffodus.

GLENYS:

Ma' 'na wahania'th mawr 'di dod yn Dre.

DILWYN:

Mae o'n goblyn o beth.

CHWYLDROADWR:

Dwi'n gwbod bod o ddim yn hawdd ond . . . Do's 'na neb yn edrych ar y cwestiyna' sylfaenol a wedyn yr atebion sylfaenol.

SANDRA:

Ti ishio pres 'ŵan does. Lle a'th 'y mhwrs i?

Sandra yn mynd i'w phwrs ac yn rhoi pres i Ellie.

ELLIE:

Bai fi ia. Mae o'n goro bod yn bai fi.

DIWEDD

Cyhoeddiadau Dalier Sylw:
Y Cinio (Geraint Lewis)
Hunllef yng Nghymru Fydd (Gareth Miles)
Epa yn y Parlwr Cefn (Siôn Eirian)
Wyneb yn Wyneb (Meic Povey)
"i" (Jim Cartwright - cyf. Cymraeg John Owen)
Fel Anifail (Meic Povey)
Croeso Nôl (Tony Marchant - cyf. Cymraeg John Owen)
Bonansa! (Meic Povey)
Tair (Meic Povey).

Cyhoeddiadau Sgript Cymru:
Diwedd y Byd / Yr Hen Blant (Meic Povey)
Art and Guff (Catherine Treganna)
Crazy Gary's Mobile Disco (Gary Owen)
Ysbryd Beca (Geraint Lewis)
Franco's Bastard (Dic Edwards)
Dosbarth (Geraint Lewis)
past away (Tracy Harris)
Indian Country (Meic Povey)
Diwrnod Dwynwen (Fflur Dafydd, Angharad Devonald, Angharad Elen, Meleri Wyn James, Dafydd Llywelyn, Nia Wyn Roberts)
Ghost City (Gary Owen)
AMDANI! (Bethan Gwanas)
Community Writer 2001-2004 (Robert Evans, Michael Waters ac eraill)
Drws Arall i'r Coed (Gwyneth Glyn, Eurgain Haf, Dyfrig Jones, Caryl Lewis, Manon Wyn)
Crossings (Clare Duffy)
Life of Ryan... and Ronnie (Meic Povey)
Cymru Fach (Wiliam Owen Roberts)
Orange (Alan Harris)
Hen Bobl Mewn Ceir (Meic Povey)
Aqua Nero (Meredydd Barker)
Buzz (Meredydd Barker).

Cyhoeddiadau Sherman Cymru:
Maes Terfyn (Gwyneth Glyn)
The Almond and The Seahorse (Kaite O'Reilly)
Yr Argae (Conor McPherson - cyf. Cymraeg Wil Sam Jones)
Amgen:Broken (Gary Owen)
Ceisio'i Bywyd Hi (Martin Crimp - cyf. Cymraeg Owen Martell)
Cardboard Dad (Alan Harris)
Llwyth (Dafydd James)
Cityscape (Emily Steel, Tracy Harris, Bethan Marlow, Kit Lambert)
Gadael yr Ugeinfed Ganrif (Gareth Potter)
Cinders & Plum (...and me, Will!) (Louise Osborn)
Desire Lines (Ian Rowlands)

Ar gael o:
Sherman Cymru
Ffordd Senghennydd,
Caerdydd, CF24 4YE
029 2064 6900

Dewisiad o gyhoeddiadau hefyd ar gael o:
amazon.co.uk/shops/sherman_cymru